# Caja Cazemier

Caja Cazemier werd op 5 september 1958 in Spijkenisse geboren. Na de middelbare school ging ze Nederlandse Taal- en Letterkunde studeren. Twaalf jaar lang was ze lerares Nederlands, maar tegenwoordig besteedt ze haar tijd volledig aan het schrijven van boeken. Ze woont in Leeuwarden.

Dankzij haar ervaring in het middelbaar onderwijs staat ze heel dicht bij jongeren, ze begrijpt wat hen beweegt en hoe verwarrend hun wereld kan zijn. Ze schrijft dan ook over situaties en problemen waar jongeren mee te maken hebben: over school en je anders voelen, over onzekerheid en ruzie met je ouders, over vriendschap en eenzaamheid, verliefdheid en seksualiteit, over digitaal pesten en cyberseks. Caja Cazemiers levensechte en herkenbare personages laten de lezer meeleven én meevoelen. Haar vlotte en toegankelijke schrijfstijl zorgt ervoor dat haar boeken voor een grote groep lezers interessant zijn.

Lees ook van Caja Cazemier:

# CAJA CAZEMIER

# TE SNEL

Uitgeverij Ploegsma Amsterdam

*Toen ik met dit boek bezig was, stierf onverwacht*
*Jildou Zwaga, 18 jaar*
*Ik heb bij het schrijven vaak aan haar gedacht en aan degenen*
*die zonder haar verder moeten.*

Kijk ook op:
www.ploegsma.nl
www.cajacazemier.nl

ISBN 978 90 216 6604 4 / NUR 283/284
© Tekst: Caja Cazemier 1997, 2008
Omslagontwerp: Annemieke Groenhuijzen
Omslagfoto: © Fancy/Veer/Corbis
© Deze uitgave: Uitgeverij Ploegsma bv, Amsterdam 2008
Dit boek verscheen eerder bij Uitgeverij Van Holkema & Warendorf
De gedichten in dit boek zijn overgenomen uit:
Hans Andreus, 'Mensen doen alsof' uit: *De sonnetten van de kleine waanzin*,
Uitgeverij Holland 1959; Hans Andreus, 'Ik weet niet meer' uit: *Muziek voor*
*kijkdieren*, Uitgeverij Holland 1951; Jan Hanlo, 'Nieuwe Rorschach: wat ziet
men in letters' uit: *In een gewoon rijtuig*, G.A. Van Oorschot 1966; Ted van
Lieshout, fragment uit 'Hoe diep' uit: *Mijn botjes zijn bekleed met deftig vel*,
Uitgeverij Leopold 1993.

Uitgeverij Ploegsma drukt haar boeken op papier met het FSC-keurmerk.
Zo helpen we waardevolle oerbossen te behouden.

# Lente

## 1

Eline staat al vanaf half zeven op het parkeerterrein bij school. Ze kijkt om zich heen. Nou is Tim er nóg niet. Het is al erg genoeg dat hij naar België gaat en zij naar Luxemburg. *Ik wil nog afscheid nemen*, denkt ze. *Niet dat we uitgebreid kunnen zoenen, ik wil hem gewoon nog even zien of een knipoog krijgen.*

Ze gaat op haar tenen staan. Als ze eraan denkt hoe ze als toevallig zijn arm, hand of schouder zal aanraken, krijgt ze het warm. Ze wil ook tegen hem zeggen: 'Veel plezier, Tim!' Dan begrijpt hij wel wat ze denkt: jammer dat we niet met dezelfde groep op excursie gaan!

Alle anderen zijn er al wel; ongeduldig staan ze op de uitkijk met tassen en rugzakken in alle kleuren en maten.

'Jullie zijn klokslag kwart voor zeven bij school!' heeft Van Wijngaarden, de coördinator van de derde klassen, gezegd. 'De bus wacht niet op uitslapers.' En nu moeten zij op de bus wachten!

Eline haalt haar mobieltje tevoorschijn. Snel toetst ze in: waar ben je? Ze ziet haar ouders kijken: nú sms'en? Ze zegt niets, hoopt heel erg dat er een snel antwoord van Tim komt vóór ze hun mobiel moeten inleveren.

Want 'Geen mobieltjes mee!' was het strenge gebod van school. 'Jullie moeten je met elkaar bezighouden en niet met iedereen die thuis is.'

Beláchelijk! Nu ze Tim drie dagen moet missen, kan ze hem niet eens bellen en sms'en! Al haar klasgenoten vonden de maatregel vreselijk overdreven, hun protesten haalden alleen niets uit. 'En als er thuis wat is, kunnen jullie ouders óns bellen. In de brief staan de telefoonnummers van de leiding.'

Dan rijden eindelijk drie witte bussen de straat in waar de school staat. Zodra ze op het parkeerterrein staan, beginnen de meesten direct aan de sprint om de achterste plaatsen. Iedereen heeft snel in de gaten welke bus ze moeten hebben, ziet Eline.

'Moet je niet instappen, kind?' vraagt haar moeder.

Langzaam bukt Eline zich en sjort de rugzak op haar rug.

'Veel plezier, meisje, goede reis!'

'Dag, schat. Geniet er maar van!'

Tim! Ze wil niet instappen voor hij er is. Vanuit de verte zwaaien is al genoeg. Ze wil zich omdraaien, maar Marloes hangt aan haar rugzak.

'Doei, Eline!'

Wilde zij ook nog zoenen toen ze tien was? Vast niet!

'Dag zusserdezus…'

Dan loopt ze traag in de richting van de bussen. Zij moet bus A hebben. Eerst de bagage er maar in. Rond de opengeslagen kleppen is het een gedrang, iedereen wil eerst. Je mag pas naar binnen als je tas in de bagageruimte zit.

Eline schuift een beetje achteruit. Ondertussen houdt ze de drukte rond bus C, waar Tims klas in moet, goed in de gaten. Tim is er niet bij. Die hele excursie kan haar ineens niks meer schelen. Waarom is hij er niet? Ze checkt haar mobiel. Geen antwoord.

6

De chauffeur grijpt haar rugzak en sluit de kleppen met een klap. Het klinkt als een veroordeling. Ze kijkt nog een keer het parkeerterrein rond, glimlacht flauwtjes naar haar ouders en stapt in.

Ilse trekt aan haar arm. 'Hé, Eline, waar bleef je nou? Ik heb een plaats voor je vrijgehouden.'

'Tim is er niet. Ik zie hem nergens.'

'Weet je het zeker? Kan je hem niet gewoon gemist hebben? Het was zo druk!'

'Nee, hij is er echt niet!'

Ilse haalt haar schouders op. 'Verslapen zeker.' Ze zwaait naar haar ouders, die tegen het raam tikken.

Verslapen, dat zou kunnen. Of een lekke band? Of zou zijn scooter stuk zijn? Maar die is net nieuw. Vanwege de winkel kunnen zijn ouders hem niet naar school brengen.

Eline heeft haar mobiel nog in haar hand en kijkt op het schermpje. *Toe nou, Tim! Zeg dan wat!* Maar als hij onderweg is en op zijn scooter zit, hoort hij haar piepjes natuurlijk niet.

Dan komt meneer Van Wijngaarden de bus in en pakt de microfoon.

'Jongelui, goeiemorgen allemaal! Ik hoop dat jullie ondanks het vroege uur uitgeslapen zijn en dat jullie vanmorgen voor de verandering eens zonder tegenzin naar school zijn gegaan.'

Een geloei stijgt op. Van Wijngaarden werkt de namenlijst af.

Hij is halverwege als een andere leraar de bus binnenkomt. Meneer Leever wacht tot Van Wijngaarden klaar is en trekt hem dan aan zijn mouw. Eline ziet dat hij iets fluistert. Tim is er zeker nog altijd niet. Leever hoort bij zijn bus.

Ze ziet hoe ze overleggen, weer uitstappen en naar de andere bussen gaan. De conciërge komt aanlopen en daarna gaat Van Wijngaarden terug naar school. Gaat hij opbellen? Eline voelt zich opgelucht. Als alle bussen op elkaar wachten, kan ze Tim misschien toch nog even zien. Dan stapt Kasper van de Ploeg, hun klassenleraar, in. Dit is het moment dat ze hun mobiele telefoons moeten inleveren. Hij begint achterin. Wanhopig kijkt Eline naar het lege scherm. Zal ze vragen...? Uitzonderingspositie...? Dan levert ze hem straks echt in.

'Meneer! Alstublieft! Ik verwacht een heel belangrijk bericht!'

Maar Kasper is onverbiddelijk. 'En uitzetten, hè!' zegt hij nog.

Wanhopig drukt Eline op het rode knopje. *O, Tim!*

Om haar heen worden grapjes gemaakt. 'Nou kan mijn moeder me niet welterusten wensen! Dan kan ik niet slapen!' En: 'Ik kan echt niet zonder dat ding. Dan weet ik niet meer wie ik ben.' Eline kijkt Kasper boos na als hij, doof voor alle protesten, verder naar voren loopt. Ze zucht. En zij kan niet zonder sms'jes van Tim...

'Deze groep is compleet,' zegt Kasper als hij bij iedereen langs is geweest. Dan stapt hij de bus uit. Eline ziet hoe hij met zijn buit de school in loopt. Nu zal ze zich drie dagen lang afvragen wat er met Tim was... Ze mist hem nu al.

'Nee,' mompelt Sander, die met Bruno achter Eline en Ilse zit, 'we zijn niet compleet. De leraren ontbreken nog.'

'We kunnen best zonder,' zegt Bruno. 'Chauffeur, rijden maar!'

Bruno krijgt bijval van anderen, maar de chauffeur grijnst.

'Nog maar even wachten, jongens.'

Eline tuurt naar buiten. *Tim, waar ben je?*

Van Wijngaarden is terug en staat opnieuw met een paar leraren te praten. Kasper sluit zich even later bij hen aan. Wat zou er aan de hand zijn? Hebben ze geen zin om nog langer te wachten?

Eline kijkt naar het groepje pratende leraren. Ze winden zich nogal op. Wat raar, zoveel drukte om iemand die te laat komt. Het zal dan wel om iets anders gaan.

Merken de anderen niks? Ilse zit achterstevoren met Sander en Bruno te praten. Voor haar zitten Anna en Liesbeth. Ze hebben zich ook omgedraaid en zitten op hun knieën te gillen: 'Luxemburg! Luxemburg!' Achter in de bus wordt het overgenomen.

'Komt er nog wat van! We wachten al zo lang!' scandeert even later de hele bus. Allemaal opgewonden vanwege de excursie.

Eline voelt zich steeds akeliger. Ze had zich er zo op verheugd, maar nu is er niks meer aan.

Ineens ziet ze de leraren uit elkaar gaan. Kasper, Hamstra, Beuving, Snijders, Van Ommen en Den Hartog stappen in.

'Volgende halte Luxemburg!' schreeuwt Kasper. 'Hebben we allemaal zin?'

Opnieuw loeit de meute. Langzaam rijden ze het parkeerterrein af. Bus B rijdt achter hen aan, maar bus C blijft staan. Eline kijkt niet naar haar zwaaiende ouders. De bus-

9

zonder-Tim op het schoolplein geeft haar een beetje troost. Aardig dat ze toch op hem wachten.

Eline laat het gelach en het gezang over zich heen gaan. *Ik ben eigenlijk heel boos*, denkt ze. *We hadden afgesproken allebei vroeg te komen.* Ze ziet hem voor zich, zoals hij gisteravond bij haar voor de deur op zijn scooter zat: beide voeten aan de grond, een hand aan het stuur, de andere hand met een iets naar buiten gebogen arm op zijn bovenbeen en met zijn hoofd een beetje schuin, waardoor zijn lange donkerblonde krullen voor zijn ogen vielen. Ze ziet weer hoe hij naar haar keek. Meteen kruipt er een warm gevoel omhoog. *Je bent zo lief, Tim.*

Hij kwam alleen even langs om haar te zoenen, zei hij. Voor een uitgebreid afscheid zouden ze 's ochtends de kans niet krijgen, maar omdat er juist een onweersbui losbarstte, was hij toch even mee naar binnen gegaan. Na de bui was het meteen lekker. Het was afgekoeld en het rook nat-fris buiten.

Eline staart naar de leuning voor haar. Ze wist niet dat je je zo gelukkig kon voelen dat je lijf er te klein voor lijkt.

Ineens voelt ze de elleboog van Ilse in haar zij. 'Voor je het weet, zie je hem weer. Leuke dingen gaan altijd snel voorbij. Woensdag, donderdag en vrijdag en daarna heb je alle tijd van de wereld om weer samen te zijn.'

Eline knikt. *Lief van Ilse om dat te zeggen. En ze heeft gelijk. Tim en ik. Al zes weken. Het is alsof ik hem veel langer ken…* Eline gaat wat achteroverleunen. Behalve Ilse en haar ouders weet niemand het van haar en Tim. Sommigen vermoeden het wel, maar dat is alles. En dat willen ze eerst nog zo houden. Het gaat niemand wat aan, tenslotte.

# 2

Frank, op de bank voor de tv, verdeelt zijn aandacht tussen de sportzender en het gesprek van zijn broer met zijn moeder. Verwachtingsvol kijkt hij naar haar hals, waar de rode vlekken van drift al zichtbaar worden.

'Nee, Tim, je krijgt niet meer geld mee dan in de brief van school staat, dat is genoeg.'

'Nee, dat is het niet. Die stomme school bemoeit zich weer eens met zaken die alleen ons aangaan.'

'Tim!'

'Wat je in zo'n jeugdherberg te bikken krijgt, is niet te vreten, dus ik moet wat extra kunnen kopen.'

'Daar hebben we het al over gehad, nou moet je niet weer beginnen.'

'Ik moet toch ook wat voor jullie mee kunnen nemen?' probeert Tim. 'Ik houd niks over zo. Arjen en Roy krijgen ook meer mee!'

Zonder nog iets te zeggen loopt zijn moeder de kamer uit.

Tim mompelt onverstaanbaar, op de woorden 'zuinig wijf' en 'ouderwets' na, een paar zinnen in haar richting en gaat naar boven. Frank zucht. *Ik zal het wel weer moeten sussen*, denkt hij. Als hij de trap opgaat, hoort hij Tim boven mopperen: 'Stom mens. Ik heb echt niet genoeg.'

'Wil je wat van me lenen?' vraagt Frank.

Tim kijkt hem aan. 'Meen je dat? Dat is tof van je, maar leen me niet te veel, want dan moet ik de komende weken al mijn zakgeld aan jou geven.'

Op Tims kamer staat een grote geopende weekendtas. Frank lacht. 'Heb je alles, Timmie? Zal ik even controleren? Of misschien heb je wel te veel bij je.'

Tim grijnst nu gelukkig ook. Hij graait in de tas en haalt een sixpack bier tevoorschijn.

'Er wordt gecontroleerd, hoor!' waarschuwt Frank. 'Ze doorzoeken alle tassen.'

Tim haalt zijn neus op. 'Weet ik toch. Dat jullie twee jaar geleden zo stom zijn geweest, daar kan ik nog niet over uit!'

Frank knikt. Een kwartier na aankomst werden ze allemaal in de eetzaal geroepen terwijl de leraren de slaapzaal doorzochten en de meegenomen drank in beslag namen.

'We hebben de kans niet eens gehad om het te verstoppen! Goh, wat waren we kwaad.'

'Dat zal best!'

Natuurlijk kenden ze het reglement dat op vergeelde, in plastic hoesjes gestoken A4'tjes op alle deuren was geprikt: geen luide muziek, geen lawaai na twaalf uur 's avonds, niet roken, geen alcohol, enzovoort enzovoort. Maar dat is nou net het leukste van zo'n excursie: 's nachts feestvieren, met een paar meiden erbij die de oversteek naar de jongensslaapzaal hadden kunnen maken zonder betrapt te worden. Daar moest bier bij. 'Gelukkig hadden we wel genoeg chips. Tof man, toen ik de volgende ochtend wakker werd, kraakten de kruimels in mijn slaapzak!'

'Ja, dat verhaal kennen we nou wel.'

'Ik zou best met je mee willen, maar ja… Drie proef-werken!'

Met een snerpend geluid ritst Tim de tas dicht. De blikjes bier laten de tas aan de zijkant duidelijk driemaal bollen.

'Kijk nou, die bulten!'

Tim rommelt wat in zijn tas om het silhouet te veran-deren. Dan grijnst hij. 'Ik heb ook nog een klein flesje van pa meegenomen. Nou broeder, ik ga nog even een rond-je op de scooter. Afscheid nemen.'

'Het is een hele opluchting dat jij eindelijk zestien bent,' lacht Frank. 'De mijne wist bijna niet meer wie zijn eigen baasje was. Waar ga je heen?'

'Afscheid nemen!'

'Van wie?'

Hij krijgt geen antwoord, Tim is al verdwenen. Het wordt tijd dat Tim vertelt wie deze keer de gelukkige is. Dat hij het flink te pakken heeft, is duidelijk. Die moet straks eens stevig uitgehoord worden.

Frank gaat ook naar beneden en daar hoort hij dat Tim zijn scooter met veel onnodig lawaai al in de garage start. Zo is Tim. Die moet even afreageren, weet Frank.

Door het raam ziet hij Tim wegrijden. Hij zet de tele-visie opnieuw aan. Het sportprogramma is afgelopen. Frank pakt zijn tas, waar hij zijn boek van Engels uit haalt. Hij schakelt over op een ander net en hangend op de bank leert hij zijn proefwerk. Door de open ramen komt ineens de wind binnenwaaien, de lucht wordt donker en in de verte rommelt het al. Wat hem betreft is een verfrissende bui meer dan welkom, hij houdt niet van dat warme weer. Een kwartier later barst het onweer dan eindelijk los.

Als zijn moeder om tien uur aankondigt dat ze naar bed gaat, is hij nog niet klaar met leren. Zijn ouders gaan altijd vroeg naar bed, want ze hebben een eigen zaak en de bloemen moeten 's ochtends in alle vroegte van de veiling worden gehaald.

'Is Tim nog niet terug?' vraagt zijn moeder.

'Nee.'

'Weet jij waar hij naartoe is?'

Frank schudt nee, zonder zijn blik van de televisie los te maken. 'Hij is natuurlijk bij iemand gaan schuilen en blijft gezellig nog even hangen...'

'Nou, hij zal zo wel komen, die jongen gaat toch altijd zijn eigen gang. Ik ga naar boven.'

'Welterusten.'

Even later steekt zijn vader zijn hoofd om de hoek van de deur. 'Ik ga er ook in, welterusten, jong.'

Frank schenkt zichzelf een cola in en gaat verder met zijn Engelse woordjes.

Om elf uur zet hij de televisie uit. Hij moet ook maar naar bed, zijn idioomboek neemt hij mee. Dan realiseert hij zich dat Tim nog niet terug is. Vreemd. Die onweersbui is allang voorbij. Hij poetst zijn tanden, stapt in bed en repeteert.

*real; really — echt, werkelijk; inderdaad, werkelijk*

*it really isn't very far — het is heus niet erg ver*

Of zou dat meisje wél ver weg wonen?

*reality; to realise — werkelijkheid; beseffen, verwerkelijken*

*reason; to reason — reden, rede; redeneren*

Is er echt een reden om zo lang weg te blijven?

*without any reason* – *ongegrond; zonder reden*
*to listen to reason* – *naar rede luisteren*
Dat is niet Tims sterkste kant, want wie blijft nou zo lang
weg de avond voor je op excursie gaat?
*for what reason* – *om welke reden; waarom*
Zij moet dan wel heel bijzonder zijn.
*reasonable* – *redelijk, billijk, matig*
*a reasonable decision* – *een redelijke beslissing*
*very reasonable prices* – *heel redelijke prijzen*
*to receive; reception* – *ontvangen; ontvangst, receptie*
Er klopt iets niet.
*receipt* – *ontvangst, kwitantie, reçu*
Ach, laat maar, Tim is altijd een dwarse jongen geweest
en zij is weer helemaal te gek, natuurlijk. Hij ziet Tim
voor zich zoals hij dat kan vertellen en glimlacht.

Maar het wil niet erg lukken met de Engelse woordjes
en de slaap is ver weg. Besluiteloos gaat Frank overeind
zitten. Kwart voor twaalf. Dat is toch niet normaal? Of
zou die jongen toch door de bui zijn gereden en…

Hè, zijn ouders laten hem ook altijd de zorg voor zijn
jongere broer. Dat was vroeger ook al zo. Frank let wel
op Tim, dat kun je best aan hem overlaten. Zij liggen natuurlijk heerlijk te pitten.

Na een tijdje staat Frank op en doet aarzelend de deur
van zijn slaapkamer open. Zal hij ze wakker maken? Tegelijkertijd komt zijn moeder haar slaapkamer uit. Ze kijken elkaar aan.

'Hij is er nog niet?!' Het is onduidelijk of ze nou een
vraag stelt of iets constateert.

'Nee, Tim is nog niet thuis.'

'Sliep jij niet?'

'Ik was mijn Engelse woordjes aan het leren.'

Zijn moeder kijkt op haar horloge en zegt: 'Ik kan niet goed in slaap komen, ik zet maar even een kopje thee.'

*Zal Tim leuk vinden als hij straks komt,* denkt Frank, *ma die beneden op hem wacht.* Hij gaat weer naar bed, opgelucht dat zijn moeder op is.

Lang houdt hij het in bed niet uit, een half uur later zit hij beneden tegenover zijn moeder aan tafel, die stil voor zich uit kijkt. Hoewel hij er niet van houdt, schenkt hij zichzelf ook een kop thee in en zwijgt met zijn moeder mee.

'Je hebt echt geen idee waar hij kan zijn?' vraagt ze na een poos.

'Nee, ma, anders had ik het je wel gezegd.'

'Zoeken heeft zo weinig zin als je niet weet waar je moet zoeken.' Na een korte stilte voegt ze eraan toe: 'Of moeten we de politie bellen?'

Frank heeft met zijn moeder te doen en zegt beslist: 'Ik ga pa roepen. Het is bijna één uur, dit is niet normaal!'

Voordat hij naar boven loopt, neemt hij een kijkje in de garage, alsof hij verwacht dat Tims scooter daar toch gewoon staat. Die is er niet. Wel ligt op de werkbank van pa Tims helm. Frank voelt een koude rilling langs zijn rug trekken. Geen scooter en wel een helm? Hij rent het huis in.

# 3

De warmte van de afgelopen dagen ligt als een deken over hem heen. Zijn T-shirt plakt aan zijn rug en zijn handen zijn klam. Als Frank naar zijn broer kijkt, die bleek en roerloos in het ziekenhuisbed ligt, knijpen zijn vuisten zich samen en drukt hij zijn nagels stevig in zijn handpalmen. Tims hoofd zit ingepakt in wit verband, zijn ogen zijn dicht, door de opgezette lippen is zelfs zijn mond gesloten; anders slaapt Tim altijd met open mond. Op zijn rechterwang en op zijn kin zitten schaafwonden. Tim lijkt niet meer op Tim.

Bijna net zo bleek zijn de gezichten van zijn ouders. Zijn vaders lippen vormen een strakke, dunne lijn, zijn blauwe ogen staan afwezig. Het is alsof hij iedereen duidelijk wil maken dat hij niet lastiggevallen wil worden met problemen. Hij zit stil naar zijn jongste zoon te staren. Tims moeder beweegt wel af en toe. Haar handen, die stevig een zakdoek vasthouden, vegen soms even langs haar neus of er trilt een spiertje in haar hals.

Zij aan de ene kant van Tim, hij aan de andere. Frank heeft alle tijd om zijn ouders te bekijken. Niets bestaat dan dit bed en deze kamer. De rest doet er ook niet meer toe.

Franks blik wordt naar de monitor getrokken, zoals het beeld van een televisie als een magneet je aandacht trekt terwijl je met iemand praat. Je moet er steeds even naar kijken. De zigzaglijn met kleine en grote uitschieters naar boven en beneden zegt dat Tims hart pompt. Er stroomt dus bloed door zijn aders. Het infuus druppelt en zijn borstkas gaat licht op en neer. Dat alles is het bewijs dat Tim leeft.

Er kwam bloed uit zijn neus en uit zijn oren, zeiden ze. Dat is nu niet meer te zien, ze hebben hem gewassen, ze hebben hem in dit bed gelegd.

Ze hebben hem gevonden, bewusteloos, met overal bloed... Tim, bewusteloos... en de scooter, helemaal verwrongen...

En nu ligt Tim daar zo stil...

De woorden blijven steken, Frank kan niet verder denken. Het is of hij geen woorden meer heeft, of hij niet geloven kan wat zijn ogen zien. Dit is niet echt! Er wordt foute informatie doorgegeven via het centraal zenuwstelsel of anders wordt op zijn netvlies de verkeerde film geprojecteerd.

De tranen prikken achter zijn ogen. Hij duwt met zijn handen tegen zijn gezicht en zo blijft hij een poos zitten.

Het is hier zo stil.

Dan gluurt hij voorzichtig tussen zijn vingers door, hopend, smekend, wensend dat het niet waar is.

*Real, really, reality.* Ineens komen die woorden naar hem toe vanuit een andere wereld, uit een andere werkelijkheid. *To realise.* Wat doen die woorden hier?

Hij beseft niets. Het is niet te begrijpen. *For what reason?* Dat stond ook in zijn boek.

Tim! Tim!

Zijn vader had meteen de telefoon gegrepen. De kou die Frank in de garage overvallen had, verspreidde zich langzaam door zijn hele lichaam. Terwijl hij zijn gekruiste onderarmen stevig tegen zijn borstkas klemde, staarde hij naar zijn vader. Die legde hoofdschuddend de telefoon neer. 'Het is nog te vroeg om een zoekactie te starten, daarvoor is hij nog niet lang genoeg weg, maar ze zullen nagaan of er ongevallen zijn gemeld waarbij een jonge scooterrijder betrokken is geweest...'

De woorden gleden aarzelend de kamer in. Frank reageerde niet en ook zijn moeder zweeg. Zou Tim zijn ID-kaart wel bij zich hebben? Die had hij vaker niet dan wel bij zich. Daarna gingen zijn ouders allebei aan de tafel zitten. Frank pakte de tv-gids en bladerde lusteloos door de gids die hij al eerder bestudeerd had.

Hun rustige buurt kende geen nachtelijke geluiden, zeker niet op dit uur van een doordeweekse dag. Het lawaai van Tims scooter zou zeker goed te horen zijn.

Frank probeerde zich in te beelden dat hij dat geluid hoorde, dat hij daarna de garagedeur hoorde piepen en dat Tim binnenkwam met een verbaasde, maar geamuseerde uitdrukking op zijn gezicht: 'Wat nou! De feestcommissie neem ik aan? Wat vieren we? Jee, jullie zijn anders niet bepaald in een feeststemming.'

Het beeld was zo intens, dat Frank verward opkeek en even niet wist wat ze hier met elkaar in de kamer deden, toen de telefoon ging.

'Ja, we komen er direct aan.'

Ze stapten in de auto en met een voor zijn vader ongewone snelheid reden ze naar het ziekenhuis in de stad. De

stille straten, de felverlichte hal en de onverwachte be-
drijvigheid in het onbekende gebouw, het kwam hem allemaal even vreemd voor. Ze werden meegenomen naar
de intensive care. De schrik had zich stevig in zijn borstkas vastgebeten, toen ze uiteindelijk voor het bed stonden, waar Tim, vastgemaakt aan slangetjes, zo stil lag.

Nu ligt hij er nog net zo bij. Hoe lang zitten ze al hier?
Frank heeft er geen idee van. En hij is zo moe...

Ze hebben verteld hoe en waar Tim is gevonden en wat
er – naar alle waarschijnlijkheid – is gebeurd. Er waren
geen getuigen, dus ze weten niets zeker. Tim reed na die
onweersbui met zijn scooter over het natte wegdek. Hij
moet geslipt zijn en is tegen een boom gereden. Of er een
ander bij het ongeval betrokken was, is niet bekend, maar
het is niet waarschijnlijk. Reed hij te hard? Niemand die
het weet.

Alleen één ding is zeker: hij had geen helm op.

Langs de provinciale weg waarop hij reed, stonden niet
veel huizen. Gelukkig gebeurde het vlak bij een woning,
waar iemand de klap hoorde. Hij was gaan kijken en had
een ambulance gebeld.

Tim is met zijn hoofd tegen de boom of tegen de grond
gesmakt. Hij heeft een schedelbasisfractuur. Het verband
om zijn haar verbergt zijn kapotte hoofd. Onder de deken zijn meer schaafwonden verstopt.

Een jonge arts heeft gezegd dat Tim in een zware coma
ligt en dat de kans klein is dat hij het zal overleven. Aan
zijn gezicht kon je zien dat alle hoop vergeefs is.

Behalve die ademhaling geeft Tim geen enkel teken van

leven. Hij vertoont geen reactie op pijnprikkels, dat zei de arts ook. Dat is dan nog een geluk...

Regelmatig komt een verpleger de kamer binnen en controleert Tims ademhaling, zijn bloeddruk, temperatuur, pols en wat al niet meer. De apparaten laten zien wat in Tims binnenste gebeurt. Of wat er niet meer gebeurt...

*O, Tim, verdomme Tim, je gaat dood...*

Nee! Ineens gloeit er een krachtige stroom woede door Frank heen. Hoe kan die man dat zeggen, hoe kan hij dat nou weten? *Verdomme! Tim! Tim!*

Zonder geluid te maken roept Frank zijn broer. *Tim! Hoor je me? Tim, hoe is het met je? Heb je pijn? Wat is er gebeurd, Tim?*

*Tim! Laat me niet alleen!*

Het verdriet kan er niet uit, door de schrik en de spanning heeft Frank het gevoel dat hij barst.

Hij hoort zichzelf een vreemd geluid maken, het lijkt nog het meest op gegrinnik. Straks doet Tim zijn ogen open, komt overeind, doet quasiverbaasd en vraagt onschuldig: 'Wat zitten jullie hier triest te doen?' Hij draait zich om naar Frank, 'Hé, ben jij hier ook?', geeft een knipoog en roept dan triomfantelijk uit: 'Geintje!'

Snel staat Frank op en loopt de kamer uit. Op de stille gang ijsbeert hij een paar keer heen en weer, maar zijn voetstappen klinken te hard. Hier liggen mensen die erg ziek zijn. Tim was nooit ziek...

Aan het einde van de gang is een raam; Frank blijft staan kijken naar de nacht. Hij moet ineens verschrikkelijk gapen.

Dan voelt hij een hand op zijn schouder die hem een

bemoedigend kneepje geeft. Zijn vader staat achter hem en zegt: 'Ik ga koffie halen, zal ik voor jou ook meenemen?'

Frank knikt en loopt terug naar de kamer waar Tim ligt. Voor hij naar binnen gaat, blijft hij een moment staan.

Als ik binnenkom, is Tim wakker geworden. Dan heeft hij zijn ogen open, dan heeft hij nog wel hoofdpijn en schaafwonden en zo, maar hij is wakker en wordt beter.

Maar Tim ligt er nog net zo bij als toen hij de kamer verliet.

Weer zit Frank op de stoel naast zijn broer en wacht. Nee, hij wacht niet. Hij neemt Tim mee naar vroeger. Naar alles waar hij van houdt. Kijk, Tim. Zo was het...

'Doen wie het eerst op school is?' Tim had zijn helm al op en zijn rugzak bungelde op zijn rug. Hij was zo blij als een kind, ging het door Frank heen. Maar het kind, zijn jongere broer, was vandaag groot geworden.

Zestien jaar. Ze scheelden weinig in leeftijd, anderhalf jaar. En ook al was hij wel eens jaloers op Tim, ze waren de beste vrienden.

Frank nam de uitdaging aan en startte zijn scooter. Tims motor was iets zwaarder. Tim moest altijd van alles net iets meer hebben. Misschien om te compenseren dat hij jonger was? Dat was overbodig, hij had meer hersens, dat moest genoeg compensatie zijn.

Tim was duidelijk opgelucht dat hij niet meer op de fiets hoefde, ook al liet hij zich meestal voorttrekken.

'Jij fietst vast vooruit, Frank komt eraan,' zei ma vaak 's ochtends. Tim ging dan als een gehoorzame zoon eerder van huis en wachtte even buiten het dorp op Frank. Maar vandaag was alles anders. Nu had hij eindelijk zelf een scooter.

Op school kwamen onmiddellijk Tims klasgenoten op hem af. Frank zette die van hem achter in het hok, terwijl Tim zichzelf en zijn verjaardagscadeau liet bewonderen.

Toen Frank zestien werd en zijn scooter kreeg, liet hij Tim rondjes rijden in hun dorp. Die was drie dagen oud toen Tim, terwijl hij er de stoep mee opreed, tegen een container botste. Beide vielen om. De scooter was licht beschadigd. Tim was altijd onstuimig geweest, maar hij betaalde de nieuwe onderdelen en repareerde alles voor Frank, want daar was hij handig in.

Zij samen in de garage, tussen het gereedschap, en dan de geur van olie die in de garage bleef hangen...

Frank schrikt op. Is hij in slaap gevallen? Dat kan toch helemaal niet! Hij moet wakker blijven, hij moet bij Tim blijven! Zijn gezicht is nat, zijn ogen zijn zwaar. Tim ligt er nog net zo bij.

Even kijkt Frank rond. Zijn vader is weer weggegaan, zijn moeder hangt ongemakkelijk in haar stoel, het is onduidelijk of zij wakker is of slaapt.

Hij wil niet slapen, niet nu, nu Tim...

Frank wordt wakker gemaakt. O, weer in slaap gevallen! Het eerste wat tot hem doordringt, is dat het licht is geworden. Gelukkig, Tim heeft de dag gehaald.

Of...

Nee...

Er klopt iets niet...

Twee, drie mensen lopen om het bed, ze zijn druk in de weer met de apparaten, ze voelen Tims pols, ze tillen zijn oogleden op en kijken in zijn ogen. Geagiteerd, met snelle, doelbewuste handelingen doen ze van alles wat Frank niet begrijpt. Hij voelt de spanning, maar hij is niet in staat te reageren. Als een brok steen kan hij alleen maar toekijken, terwijl hij denkt: *het is niet waar het is niet waar het is niet waar het is niet waar!*

Zijn moeder houdt Tims hand vast. Zijn vader schraapt onafgebroken zijn keel. Frank realiseert zich dat hij eigenlijk niets voelt.

Niets.

Dan wordt de zigzaglijn op de monitor vlakker.

Ten slotte is er alleen een streep.

Het infuus druppelt nog even door tot het wordt afgesloten. De verpleegsters zeggen iets tegen zijn ouders, maar het dringt niet tot Frank door.

De verpleger die eerder deze nacht af en toe zijn hand op Franks schouder legde, doet dat nog een keer, langer nu.

De apparaten worden uitgezet.

Er zijn geen lichtjes meer.

Geen strepen.

Niets.

Dan gaan de verplegers weg en wordt het stil in de witte kamer. Een onwerkelijke stilte.

Er is niets meer.

Alleen nog zijn lichaam.

Tim is dood.

Frank kijkt naar zijn broer en kan het niet geloven.

# 4

De groep loopt in een rij door het bos. Omdat de zon bijna niet meer door de takken dringt, wordt het koeler. Hun voeten vinden afwisselend de zachte ondergrond van lichtbruine bladeren en de zwartgroene hardheid van de bemoste rotsen.

'Pas op, hoor, het is hier glad!' roept meneer Snijders, die met mevrouw Beuving vooroploopt.

De rij valt uiteen, want de een loopt wat harder dan de ander. Sommigen hebben een heleboel te kletsen en anderen willen via de naast het bospad gelegen rotsblokken lopen of water drinken uit het smalle beekje dat iets lager met hen mee stroomt. Daarnet, toen ze nog door de licht glooiende weilanden liepen, was de rij veel ordelijker.

Kasper van de Ploeg en Astrid Hamstra, die ze nu ook bij de voornaam mogen noemen, lopen achteraan en hebben duidelijk moeite met die bezemfunctie. Ze jutten de achterblijvers op, bang dat de groep te wijd uitwaaiert.

Ze zijn met drie klassen, dus de rij is lang. Er is een vaste volgorde ontstaan als ze ergens naartoe lopen. De achterhoede is het gezelligst gebleken. Eline zorgt er steeds voor met Ilse, Liesbeth en Anna in de buurt van Kasper te lopen. Hoewel algemeen verondersteld wordt dat Kasper en Astrid iets met elkaar hebben, vallen veel meisjes uit hun klas op hem en willen ze graag bij hem in de buurt lopen. Overigens merken ze weinig van hun verhouding. Wel worden er grinnikend grapjes gemaakt over de 'Tosti', zoals ze die twee zijn gaan noemen: Kaas (Kasper) en Ham (Hamstra) in een bed van brood. Ze zien het al voor zich!

Ze hebben voor de andere leraren ook bijnamen bedacht: meneer Den Hartog is de Keizer, omdat hij zich zo afstandelijk en uit de hoogte gedraagt, en meneer Van Ommen is de Zuurbal. ('Slik hem door en schijt hem uit,' zei Sander gisteravond, 'dan zijn we van hem af.') Waarom gaan die eigenlijk mee als ze er zo'n hekel aan hebben? Ze lopen alleen maar op hen te mopperen. Snijders is de Bril en Beuving is gewoon Beuving.

Eline kijkt om zich heen. Ze is nooit eerder in Luxemburg geweest. Het glooiende landschap en vooral dit bos vindt ze prachtig. Gisteren hebben ze kano gevaren. Een te gekke dag was dat: de rivier was bochtig en ondiep, meestal rustig stromend over de steenachtige bodem, maar na een stroomversnelling vol opspattend water. Dan was het nog een hele kunst om overeind te blijven! Gelukkig ging het goed met Ilse en haar: ze zaten samen in een kano en ze hadden al snel de slag te pakken. Er zijn er heel wat omgegaan, maar sommigen deden het expres, het was mooi weer tenslotte.

Er wordt naar achteren geroepen dat ze het doel van hun wandeling bereikt hebben. De rij krimpt en wordt een groep. Dan staan ze aan het begin van de kloof: een smalle, donkere gang dwars door de rotsen. Beuving vraagt of er iemand is die liever om de kloof heen wil lopen in plaats van erdoorheen. Aarzelend melden zich drie meisjes en een jongen.

De anderen halen hun zaklantaarns tevoorschijn. Vanochtend deden ze daar nogal lacherig over, maar als ze een voor een de nauwe doorgang in lopen, zien ze wel dat dat geen overbodige luxe is. De rotswanden, die boven hun hoofden naar elkaar toe lijken te buigen, laten weinig licht door.

Ze moeten achter elkaar lopen. Na een poosje wordt het zelfs zo smal, dat ze hun schouders moeten intrekken en hun hoofd moeten buigen om erdoor te kunnen.

Eline loopt helemaal achteraan. Haar voeten moeten hun weg vinden zonder dat ze kan zien waar ze ze neerzet. Af en toe stapt ze in een kuil. Haar ene hand laat ze langs de wand glijden, met haar andere hand houdt ze de zaklantaarn vast, al geeft die niet veel licht meer. Langzaam komt ze vooruit. Het heeft iets beangstigends: het is donker om haar heen, met rechts en links die hoge, koude muren. Het lacherige roepen van de anderen klinkt steeds verder weg. Ze heeft geen idee waar het einde is...

Ze krijgt het benauwd en kijkt omhoog, waar ze een smalle streep blauwe lucht ziet. Dan stoot ze haar hoofd.

Eline knijpt stijf haar ogen dicht. Ze voelt paniek opkomen. Gauw doet ze haar ogen open, maar het blijft donker.

'Au!' roept ze alsnog zo hard ze kan en ze wrijft over haar voorhoofd.

Daarop hoort ze voetstappen, ze ziet het licht van een lantaarn en een stem roept: 'Is daar iemand? Waar zit je?'

Domme vraag! Alsof het mogelijk is je te verstoppen!

'Hier!' zegt ze, al kan Astrid niet zien waar dat is.

Het licht van Astrids lantaarn valt op haar benen.

'Sorry, ik dacht dat ik de laatste was,' zegt ze. 'Wat stom van me! Het is niet ver meer. Kom maar.'

Inderdaad wordt even later de gang wijder en ziet Eline de contouren van de uitgang, waar licht naar binnen stroomt. Opgelucht haalt ze adem, als ze zich bij de groep kan aansluiten, die druk en stoer over de wandeling praat.

Ineens mist ze Tim heel erg.

Snel zoekt ze Ilse op. Tussen haar vriendinnen in begint ze aan de wandeling terug naar de jeugdherberg.

Voor de laatste keer worden ze geteld. De Keizer loopt mompelend tussen de stoelen door. Hij zucht diep voor hij tegen de buschauffeur zegt dat ze kunnen rijden.

Ze hebben gegeten bij een wegrestaurant en nu beginnen ze aan het laatste stuk naar huis. Dan is het voorbij.

Zoals steeds waren ze niet tevreden over het eten. Er was soep die bijna niemand lustte, de groente was klef en smakeloos, alleen de patat was lekker. En het toetje natuurlijk: ijs.

Eline is opgewonden, nog even en ze zal Tim weer zien! Als ze tenminste tegelijkertijd terug zijn.

Ze kijkt op haar horloge, ze zouden om acht uur op school zijn, dus nog anderhalf uur. En in ieder geval kan ze hem weer bellen, vanavond!

Zodra de bus de parkeerplaats van het restaurant afrijdt, pakt mevrouw Beuving de microfoon. Astrid staat naast haar. Eerst schraapt Beuving een paar keer haar keel, dan zegt ze dat ze de groep iets moet vertellen.

'Het is geen leuk bericht. Het gaat over iemand die de meesten van jullie wel zullen kennen.'

Het is stil geworden. Ze kijken allemaal naar de lerares, die over hun hoofden heen naar Den Hartog en Kasper op de achterbank knikt. Eline kijkt naar de lippen van de lerares die hun het nieuws moet vertellen. Ze kijkt en luistert.

Beuving vertelt dat een jongen uit 3-vwo de avond voordat ze op excursie zouden gaan, een ongeluk heeft gehad met zijn scooter. Woensdag vroeg in de ochtend is hij overleden aan zijn verwondingen. Vlak voordat ze wegreden met de bus, hebben zijn ouders naar school gebeld en...

'Tim...' Eline fluistert zijn naam. Ze ziet heel bleek en het suist in haar oren, waardoor de stem van Beuving gedempt wordt. Ze houdt haar blik strak op de bewegende mond gericht, maar ze kan de woorden niet goed verstaan. Haar handen trillen en ze is misselijk.

'O, Eline!' Ilse pakt Eline bij haar armen vast en draait haar naar zich toe. Eline ziet de schrik op Ilses gezicht.

Wat is er aan de hand?

Ilse slaat haar armen om Eline heen. Ze moet getroost worden, maar waarvoor?

Tim...

Heel langzaam dringt de betekenis van Beuvings woorden tot haar door.

Tim heeft een ongeluk gehad.

Tim is dood.

Heeft zij drie dagen plezier gemaakt terwijl Tim...?

Eline huilt met de armen van Ilse om zich heen.

'Tim is haar vriend,' zegt Ilse tegen Astrid die bij hen is komen zitten. 'Ik bedoel... was...' voegt ze er verward aan toe.

De meiden aan de andere kant van het gangpad kijken stil naar Eline. Ilse aait Elines haar. Astrid legt een hand op Elines schouder.

Er zijn er meer die huilen. Astrid staat op en gaat naar een ander tweetal. Ook de andere leraren lopen door de bus en praten en troosten. Niet iedereen kent Tim. Ze zitten op een grote school en Tim zit op een andere afdeling. Toch is iedereen geschrokken van het bericht.

De bus lijkt niet meer op een bus die terugkomt van een excursie. Degenen die voorin zitten, kijken vol ontzag naar Eline, die stil voor zich uit zit te staren, met Ilses arm nog om zich heen. Ze weten nu allemaal dat Eline verkering had met de jongen die dood is.

Zo komen ze bij school. De ouders kijken verbaasd naar hun kinderen die met strakke gezichten uit de bus komen.

Eline stapt uit en laat zich in de armen van haar moeder vallen. Ze begint direct weer te huilen. Astrid komt op hen af en vertelt wat er gebeurd is.

Alles is anders. De straat, de gezichten van haar ouders, zelfs haar kamer.

Daar staat Tims foto. Op de kast, naast het vaasje met de pauwenveer die ze van hem kreeg.

Daar staat het bed, waar ze hebben gezoend. En voor het raam stonden ze samen...

Samen...

'Nee!' Eline schreeuwt het uit. 'Nee! NEE! NEEEEE!'

*Ik was op excursie. Ik had een hoop lol. En al die tijd was Tim al dood.*

Eline laat zich op het bed vallen.

'Nee nee NEE NEE NEEEEE!'

Pas als haar moeder voor de derde keer klopt, schuift ze de stoel voor de deur weg.

'Nee hè, het is niet waar hè, nee hè?' snikt Eline onafgebroken.

Haar moeder gaat op het bed zitten. Ze aait Eline over het haar en zegt: 'Meisje, ik vind het zo erg. Maar het is wel waar...'

'Wat had hij nou eigenlijk?' vraagt Eline na een tijdje.

'Mevrouw Beuving heeft het wel verteld, geloof ik, maar ik weet het niet meer.' Ze snikt. 'Stom, hè?'

'Nee, dat is niet stom, je was nog aan het verwerken wat je hoorde. Hij lag in een zware coma en toen hield hij eigenlijk gewoon op met ademen. Zijn longen en zijn hart konden hun werk niet meer doen.'

'En dan ga je dood...'

'Luister eens, Eline, Astrid Hamstra vertelde ook dat Tim morgen wordt begraven. Zijn ouders willen niet dat de school erbij is, dat er allemaal jongeren bij zijn.'

'Waarom niet?'

'Ik denk dat ze dat te moeilijk vinden, ze zullen het prettiger vinden met alleen familie.'

'Dus ik mag er niet heen!'

'Als je wilt, kunnen we nu naar Tim gaan om afscheid van hem te nemen. Wil je dat?'

Eline knikt.

'Hij ligt opgebaard in een rouwcentrum. Je kunt Tim daar nog een keer zien en zijn ouders condoleren.'

Net als in de bus heeft Eline moeite om te begrijpen wat er tegen haar gezegd wordt.

Tim, dat is verliefd en overal kriebels in je buik en je gelukkig voelen en zijn handen die je aanraken en zijn scooter en moppen tappen en praten over de sterren en en... Maar niet deze vreemde woorden, die ze wel kent, maar die ze niet kan snappen, niet in verband met Tim...

'Kom,' zegt haar moeder, 'ga je douchen en trek schone kleren aan. Ik ga met je mee.'

# 5

De tijd staat stil, al gaan de dagen voorbij en verplaatsen de wijzers van de klok zich net als altijd. Maar de ochtend, de middag, de avond en de nacht vormen een onwerkelijke wereld. Alles is anders nu Tim dood is.

Frank hoeft niet naar school – zijn proefwerk Engels heeft hij voor niets geleerd. Er komen mensen op bezoek. Opa, oma, de ooms en tantes, de buren en een man die hij niet kent: de begrafenisondernemer. Frank heeft altijd gedacht dat zo iemand in het zwart zou lopen. Hij draagt een net pak, maar geen zwart.

Er wordt veel gepraat en soms gehuild, maar dat laatste gebeurt met maar een paar tranen. Ze houden zich allemaal groot.

Niet huilen. Flink zijn. Hij hoort het zijn vader nog zeggen, als hij weer eens zijn knie kapot had gevallen. Grote jongens huilen niet. Dus liet hij geen traan, zelfs toen hij niet met het zeilkamp mee kon omdat hij ziek was. Het is lang geleden dat hij huilde. Frank kan het zich niet herinneren. Ook nu huilt hij niet. Hij wil wel, maar het lukt niet.

Zijn vader houdt zich flink, zijn moeder kijkt strak voor zich uit en snottert wat in haar zakdoek. Verder zit ze de hele dag in haar stoel. Hun verdriet lijkt niet op dat van hem. Bovendien, hij gelooft niet echt dat Tim dood is. Tim is toch niet dood? Hij is... weg. Op excursie.

Het liefst zit Frank boven op zijn kamer en luistert hij naar muziek. Laat het bezoek maar met zijn ouders praten. Tim is op excursie en hij wacht op hem. Hoor, daar is zijn scooter. Nu is hij in de garage en dan zal hij zo dadelijk zijn kamer binnenkomen.

Frank kijkt naar de deur. Hij heeft heel sterk het gevoel dat Tim erachter staat en dat hij ieder moment binnen kan komen. Er gebeurt niets.

'Tim?' roept Frank.

Weer niets. En Tim staat achter de deur, hij weet het zeker!

'Tim?' roept Frank nog een keer, harder nu. Hij draait de muziek zachter, zodat hij Tim beter kan horen.

'Tim!' roept hij, veel te hard, voor de derde keer. Tim wil natuurlijk een geintje uithalen: zodra Frank de deur opendoet, krijgt hij een beker water over zich heen of zoiets. Dan houdt hij het niet meer uit en doet met een driftig gebaar de deur open.

De gang is leeg.

Het wordt zwart voor Franks ogen. Plotseling wordt hij zo verschrikkelijk boos dat Tim daar niet staat dat hij met grote stappen naar Tims kamer loopt.

Daar is hij sinds dinsdagavond niet meer geweest. Er ligt van alles op het bed. De kleren die Tim niet mee wilde nemen op excursie, gooit Frank met een nijdig gebaar op de grond. Tims afgetrapte gymschoenen gooit hij erachteraan en het kussen smijt hij in een hoek. De poster boven het bed scheurt hij met een ruk van de muur en daarna veegt hij alle boeken en de troep die daar staat van de plank boven het bed. De bellen van de rode wekker geven een kort rinkelend geluid. Te laat! Te laat! Tim kan niet meer wakker worden. Hij heeft geen wekker meer nodig.

Woedend pakt Frank Tims schooltas en houdt die op zijn kop. Vervolgens maait hij met zijn arm alle spullen van het bureau, die kletterend vallen. Daarna opent hij de deur van Tims klerenkast en gooit hij de inhoud plank voor plank op de grond.

'Frank! Houd daar onmiddellijk mee op!'

Zijn arm stokt voor de onderste plank. Hij komt overeind.

Zijn vader staat in de kamer en Frank voelt hoe twee armen stijf om hem heen geslagen worden. Zo kalmeerde zijn vader hem vroeger ook als hij driftig was. Ineens is hij heel moe. Een moment leunt hij zwaar tegen zijn vader aan. Dan maakt hij zich los en draait zich om.

'Sorry,' zegt hij.

Zijn vader aait hem over zijn hoofd. 'Ik begrijp het wel, het geeft niet. We ruimen later alles op.'

Dan ziet Frank pas dat zijn oma naar hen staat te kijken vanuit de deuropening. Iets in haar gezicht maakt dat zijn ogen gaan prikken. Zijn oma loopt achter hem aan naar zijn eigen kamer en troost hem als hij eindelijk kan huilen.

'Ik zit te janken als een meid,' snikt Frank.

'Dat geeft niks.'

'Ik heb Tims kamer vernield. Ik heb alles kapotgemaakt.'

'Dat valt misschien wel mee. Je bent boos en dat begrijp ik best.'

'Tim! Tim is dood.'

'We zijn allemaal verdrietig.'

'Wat voor dag is het vandaag?' vraagt Frank.

'Vrijdag.'

'Dus morgen wordt hij begraven.'

'Ja, morgen wordt hij begraven.'

'Oma... vertelt u daar eens over? Hoe... hoe gaat het allemaal gebeuren?'

Hij zat boven toen zijn ouders alles regelden voor de begrafenis. Zij hebben hem niet geroepen en hij is niet naar beneden gegaan. Hij wilde er niet bij zijn en hij wilde er wel bij zijn. Hij wist het gewoon niet en bleef boven, maar nu hij luistert naar wat zijn oma vertelt, voelt hij zich buitengesloten. Tim is toch zijn broer?

Als zijn oma naar beneden gaat, voelt hij zich opgelucht en schuldig tegelijk.

Dan herinnert hij zich iets wat hij gezien heeft op Tims kamer, op het moment dat zijn vader hem tot de orde riep.

Voor de tweede keer loopt hij erheen, zachtjes, zodat zijn ouders het niet horen. Hij stapt over de rommel heen naar de kast, waarvan de deur nog openstaat.

Op de onderste plank staat een zwarte doos, tegen de achterwand geschoven. Voorzichtig schuift Frank de doos naar voren. Hij herkent Tims handschrift:

DIT IS PRIVÉ !!!

dus AFBLIJVEN met je vuile poten, FRANK!

Geschrokken duwt hij de doos terug. Hij kijkt even om zich heen naar de puinhoop, besluit dan de doos mee te nemen en verstopt hem in zijn eigen kast. Dan pakt hij zijn skeelers. Hij moet eruit, hij wil zich in het zweet trainen tot hij echt bekaf is.

# 6

Het gebouw lijkt niet op een gebouw dat ze kent. Het ziet er sober uit en de lichtgrijze muren hebben aan de straatkant geen ramen. Voordat Eline er binnenstapt, moet ze een paar keer slikken.

Ze durft niet. Zal ze zich Tim niet altijd zó herinneren, zoals ze hem straks zal zien? Ze ziet ook op tegen de ontmoeting met zijn ouders. Die kent ze helemaal niet, ze weten waarschijnlijk niet eens dat zij bestaat!

Haar moeder duwt Eline zacht het gebouw binnen. Ze komen in een grote hal. Het is er druk. Eline herkent Bram, een vriend van Tim uit zijn dorp, en ze ziet mensen van school die met hun ouders zijn gekomen, vooral uit Tims klas. Het ene moment ben je op excursie, het andere moment ben je hier.

Op een tafel ligt een opengeslagen boek, waar iedereen zijn naam in schrijft. Vier deuren komen uit op deze ruimte en tussen twee ervan hangt een soort schoolbord aan de muur met daarop drie namen.

Zijn er meer mensen doodgegaan dan?

Tims naam staat in het midden: Tim Halbesma kamer 2.

Ze sluiten aan in de rij. Ze kan niet eens nog even alleen zijn met Tim! Eline bijt hard op haar lippen. *Ik ga. Ik moet hem zien. Hadden we het maar niet geheimgehouden! Dan voelde ik me misschien minder onzeker.* 'Onze verkering is

*zo bijzonder,' zei Tim. Ik was het met hem eens, al wist ik heus*
*wel dat ik de eerste niet was. 'Je bent de liefste. Je bent een bij-*
*zonder meisje. Je betekent heel veel voor mij,' zei Tim op de*
*avond dat... Hij zei het tijdens het onweer toen hij bij ons schuil-*
*de. Vlak voordat...*
*Voor zijn ouders ben ik niet de vriendin van Tim. En wisten*
*ze het wel, dan zouden ze misschien denken: een vriendin van*
*zes weken, wat is dat nou? Ik doe niet mee met de dood van*
*Tim.*

Ze schrikt van haar eigen gedachten.

Maar gelukkig wist Ilse het wel. En Elines ouders wisten het ook. Nu weet iedereen het.

*Tim. Ik moet naar Tim.*

'We zijn bijna aan de beurt,' fluistert haar moeder.

Elines hart klopt in haar keel. Ze zal Tim zien.

Ze had het zich zo anders voorgesteld.

Ze schrijft haar naam in het boek en ze gaan kamer 2
binnen. Daar staat Tims familie: zijn moeder, zijn vader
en... Eline grijpt haar moeders hand. Ze wordt duizelig
en een moment denkt ze dat ze onderuitgaat, zo schrikt
ze van de jongen die daar staat, naast Tims vader en moeder. Ze wist het wel dat zijn broer zo op hem leek, Tim
heeft hem een keer aangewezen op school, maar ze heeft
er nu niet aan gedacht.

Verlegen geeft ze Tims vader een hand.

'Gecondoleerd,' zegt ze zacht. Ze herhaalt het tegen
Tims moeder. Dan voegt ze eraan toe: 'Ik ben Eline, Tims
vriendin.'

Het is vreemd om dat in deze omstandigheden tegen
hen te zeggen. Ze kijkt naar de vreemde vrouw, die haar

zoon heeft verloren. Ze weet veel van haar: Tim had het vaak over zijn ouders en die verhalen waren niet altijd positief. De vrouw weet zeker niet goed wat ze moet zeggen. Ze kijkt haar man aan en herhaalt met vlakke stem: 'Ze is Eline, Tims vriendin.' Het is alsof het niet goed tot haar doordringt wat Eline tegen haar zei. Eline voelt haar moeders arm om haar middel en ze blijft naar het gezicht van de vrouw kijken als haar moeder haar condoleert, terwijl ze hoopt op een reactie, een paar lieve woorden of zo, die haar kunnen troosten.

Nadat Elines moeder een paar meelevende woorden heeft gezegd, kijkt Tims moeder opnieuw naar Eline.

'Dus Tim had weer een vriendin,' zegt ze alleen. Ze heft haar arm, ze wil Elines lange haar zeker even aanraken. Als haar vingers vlak bij Elines gezicht zijn, zegt Frank: 'Tim is bij háár geweest!'

De arm van Tims moeder blijft een moment in de lucht hangen, dan valt hij slap neer. 'Was Tim bij jou?' vraagt ze. 'We wisten niet waar hij was, de avond dat hij het ongeluk kreeg.'

'Hij ging afscheid van iemand nemen, zei hij, dat is alles wat we weten,' zegt Tims vader. 'We wisten niet eens dat hij weer een vriendinnetje had.'

Ze staan stil en ongemakkelijk tegenover elkaar. Eline krijgt het warm en ze veegt even over haar beide wangen, want ze voelt dat ze rood wordt.

'Hij had gezegd dat hij even langs zou komen. Toen begon het te onweren en daarom is hij nog wat langer gebleven.'

Elines moeder zegt: 'Vrij snel daarna is hij weggegaan, tegen tien uur was dat.'

*Ik ben dus de laatste die Tim gezien heeft...* Weer komt het beeld op dat Eline de afgelopen dagen steeds voor zich heeft gezien: Tim op zijn scooter. Ze bijt op haar lip.

'Als dit alles voorbij is, moet je maar eens langskomen,' zegt Tims moeder.

Dan lopen ze door, want er staan mensen achter hen te wachten. Ze heeft Tims broer geen hand gegeven, bedenkt ze te laat.

Achter in het vertrek is een nis en daar is Tim. Er staan veel bossen bloemen om hem heen en op de kist ligt een groot bloemstuk met witte en gele bloemen, waar een lint met Tims naam doorheen is geweven. De bloemengeur vult de nis.

Eline houdt haar adem in. Ze kijkt voorzichtig door het glas, terwijl ze heel hard in haar moeders hand knijpt.

Daar ligt Tim.

Is het Tim wel?

Zijn gezicht heeft zo'n gekke, gelige kleur en door het verband dat om zijn hoofd zit, zie je zijn krullen niet. Er zitten schaafplekken op zijn wang en op zijn kin en...

Eline sluit even haar ogen. Als ze ze weer opent, ziet ze... Tim. *Ik was op excursie. Ik had een hoop lol. En al die tijd was jij dood.*

*Ik zal nooit meer...*

Ze drukt zich tegen haar moeder aan.

Frank is blij dat hij niet heeft toegegeven aan zijn ouders, die hem vandaag liever in een jasje zouden zien. Hij voelt zich al zo onwennig. *Gelukkig heb ik de trui,* denkt hij. De trui die van Tim is geweest. Tim wilde hem na een paar keer niet meer aan en daarna mocht hij hem hebben. Zo kan hij zijn verdriet smoren in de stof van Tims trui. Dichterbij kan Tim niet meer komen.

Ze zijn in een zaaltje met tafels en stoelen, groter dan de ruimte van gisteravond, waar hij naast zijn ouders al die mensen een hand moest geven. Vreselijk. Zijn gezicht was verkrampt, want hij wist niet meer hoe hij moest kijken. Hij moest laten zien dat hij verdrietig was, dat hoorde zo, maar hoe deed je dat als het niet op zijn manier kon? Hij had zich daarover zo druk gemaakt, dat hij zich schuldig voelde omdat hij meer met zichzelf dan met Tim bezig was.

*En als Tim nou naast mij had kunnen staan in plaats van in die kist te liggen, had ik me ook niet zo alleen gevoeld.*

Zijn blik gaat naar de nis aan de zijkant. Daar ligt hij. Straks stoppen ze hem onder de grond...

Gisteravond kwamen heel veel mensen afscheid nemen van Tim. Het was voor de meesten de laatste mogelijkheid Tim te zien. Vooral van school waren ze gekomen en uit Tims klas, net terug van excursie, maar ook van judo en van zwemmen en uit het dorp. Je zou er jaloers van worden, zoveel belangstelling alleen voor Tim!

Zijn ouders willen vandaag niet te veel mensen erbij en vooral geen jonge mensen. Die confrontatie kan zijn moeder niet aan. Toen had hij de neiging om te zeggen dat hij ook wel weg zou blijven. Van school komen vandaag alleen de directeur, Tims mentor en een paar leraren. Tims beste vrienden komen en ook dat meisje, Eline, met haar ouders. Daar is hij best trots op: hij heeft ervoor gezorgd dat ze mocht komen. Iets in hem zei dat Tim niet begraven mocht worden zonder zijn vriendin erbij. Ook Floris, zijn eigen beste vriend, komt. En verder de familie. Hij ziet zichzelf bij zijn oma zitten. Het is net of hij van een afstand naar de zaal kijkt waar mensen binnenkomen voor de herdenkingsdienst. Hij wil nou niet naast zijn ouders staan. Als ze hem een hand willen geven, komen ze maar hierheen. Was alles maar voorbij.

Tegelijkertijd ziet hij ertegen op dat Tim straks echt en voor altijd weg is. Nu kan hij hem nog zien, hij is zo langzamerhand gewend geraakt aan het uiterlijk van zijn dode broer. Straks, na dit alles, heeft hij geen broer meer.

Nee, dat is niet waar, Tim blijft zijn broer. Hij is dan enig-kind-met-broer.

Straks. Toespraken. Over hoe Tim was. Wat weten zij van Tim? Daarna de rit in die grote zwarte auto. Hij heeft nog nooit in zo'n slee gezeten. En dan...

Hij staat op en haalt koffie voor zijn oma en voor Floris.

Nu is er koffie. Na afloop zullen er broodjes zijn.

Een wereld van verschil tussen nu en straks.

# 7

Met lood in haar schoenen fietst Eline maandagochtend naar school. Een school-zonder-Tim in een wereld-zonder-Tim. Het zal nooit meer hetzelfde zijn. Ze hoeft zich niet meer te haasten in de pauze. Ze hoeft ook geen hoop te hebben dat ze elkaar in de gang tegenkomen. Sterker nog: ze moet de plaatsen vermijden waar ze elkaar passeerden. *Ik weet niet of ik ertegen kan. Geen Tim als ik tussen het derde en vierde uur van Engels naar geschiedenis loop. Niemand wacht meer op onze plek achter de school.*

Iedereen weet het nu van Tim en haar. Misschien zullen ze naar haar kijken. Zal ze ertegen kunnen om de kersverse verkering van Tineke en Bruno, die tijdens de excursie is ontstaan, te zien?

Allereerst wil ze Arjen en Roy opzoeken. Zaterdag heeft ze geen kans gehad met ze te praten. Ze wil het weten.

Zaterdag. Ze mocht eigenlijk niet naar Tims begrafenis, ze wilden geen 'school' erbij. Hoe kan iemand dat voor een ander beslissen?! Haar moeder had wel uitgelegd hoe het voor Tims ouders zou zijn, maar ze vond dat moeilijk te begrijpen, dat 'in besloten kring'. Gelukkig belde Frank haar zaterdagochtend op. Ze moet hem nog bedanken, want ze durfde hem niet aan te spreken. Leek hij maar niet zoveel op Tim!

Op het schoolplein ziet ze Arjen en Roy niet. Dan maar naar binnen.

Daar staat Kasper, haar klassenleraar. 'Hoe is het met je?'

Meteen krijgt ze het te kwaad, zodat ze hem geen antwoord kan geven. Zo ging dat nou het weekend ook. Haar vader of moeder hoefden maar naar haar te kijken of ze zat alweer te janken. Ze schudt haar hoofd.

Kasper wijst naar de kantine en zegt: 'Laat maar, dat komt nog wel. Drink eerst een kop koffie of thee, ik zie je straks.'

Eline haalt thee en gelukkig ziet ze dan Arjen en Roy, die samen aan een tafel bij het raam zitten.

'Hoi,' zegt ze verlegen. Zo goed kent ze Tims vrienden niet, eigenlijk alleen van gezicht. Zouden zij wel weten dat zij verkering had met Tim?

Het zweet breekt haar uit. Tim had er niet moeilijk over gedaan dat zij 'maar' op het vmbo zat, maar misschien kijken deze jongens op haar neer.

'Ik wil wat vragen,' zegt ze.

'Jij bent Eline, hè?' vraagt Roy. 'Je was er zaterdag toch ook?'

'Ja, ik...'

'Tim heeft het over je gehad,' zegt Arjen. 'Hij was nogal weg van je.'

Tegenstrijdige gevoelens jagen door haar heen.

*Tim heeft zich niet aan onze afspraak gehouden!*

*Gelukkig, ze weten ervan.*

*Hij hield van mij! Hij hield van mij!*

*Ik heb het Ilse toch ook verteld, waarom hij dan niet aan zijn vrienden...*

'Kom erbij zitten,' zegt Roy.

'Wanneer hebben ze het jullie verteld?' vraagt Eline.

'Hoe is het in jullie bus gegaan? Ze hebben het ons pas op de terugweg verteld!' Ze schreeuwt bijna, zo boos is ze. Met veel moeite houdt ze haar tranen tegen, ze wil hier bij die jongens niet gaan zitten grienen.

'Direct woensdagochtend,' antwoordt Arjen. 'We moesten eerst wachten omdat Tim er nog niet was. Toen belden zijn ouders naar school om het te vertellen. Daarna reden jullie weg en bleven wij staan en toen vertelde Van Wijngaarden het. Dat gaf wel een hoop ellende. Iedereen was over zijn toeren. We hebben toen thee gehad en wie wilde, kon thuisblijven, hè Roy?'

Roy knikt. 'Dat was klote. Je wou naar Tim, maar je wou ook op excursie.'

'Ja, daar hadden we ons nou maandenlang op verheugd en dan rijdt die knuppel tegen een boom. Dat was shit, dat kiezen.'

'En?' vraagt Eline.

'Uiteindelijk is iedereen meegegaan,' zegt Arjen. 'Tim had er toch niks aan als we thuis zouden blijven. Van Wijngaarden had gezegd dat we Tim nog konden zien als we terug waren en ook dat we op tijd terug zouden zijn voor de begrafenis. Het was wel een beetje een vreemde excursie.'

'Er is veel gepraat en gehuild om Tim,' voegt Roy er aarzelend aan toe. 'Dat was best fijn.'

Ze kijken Eline wat onzeker aan.

En dat zijn Tims beste vrienden! Wat zou zij gedaan hebben? Thuisblijven natuurlijk! Hoe had ze nog plezier

kunnen maken? Dat zou ze nu nooit meer kunnen.
De bel gaat. Eline drinkt haar bekertje leeg.
'Vreemd hè, zo zonder Tim,' zucht Roy.
Samen lopen ze de kantine uit. Roy en Arjen nemen de trap naar boven, Eline gaat de gang naar aardrijkskunde in. Dan ziet ze ineens Frank, die in tegengestelde richting door de gang loopt. Even kijken ze elkaar aan. Eline ziet dat Frank inhoudt. Wat moet ze tegen hem zeggen? Zal hij iets zeggen? Ze kan het niet... Hij misschien ook niet? Allebei lopen ze snel door.

De anderen zijn er allemaal al. Het wordt even stil als Eline de klas binnenloopt. Snel laat ze zich naast Ilse op haar plaats zakken. Het eerste uur is er geen les. Kasper zegt dat het goed is als ze met elkaar over Tim praten en er komen allerlei verhalen los over andere mensen die dood zijn gegaan.

Lisanne vertelt over haar opa die een paar weken geleden is overleden, Martijn vertelt van het auto-ongeluk waarbij zijn neef is omgekomen en Ahmed moet het verhaal van zijn oma kwijt.

Iedereen heeft wel iets te vertellen. Soms praten ze door elkaar, soms begint iemand plotseling te huilen. Shariah, van wie de moeder ernstig ziek is, zit stil voor zich uit te staren.

Ze troosten elkaar. Ze mogen de klas uitlopen om water te drinken. Kasper blijkt een heel pak papieren zakdoekjes bij zich te hebben.

Eline zwijgt. Ze zit zo bomvol emoties dat ze bang is zo meteen te zullen barsten.

Ze kan het niet opbrengen om naar het verdriet van de

anderen te luisteren. Ze kan het bijna niet verdragen naar Kasper te luisteren die het al die tijd heeft geweten en die niets heeft gezegd. Waarom? Waarom hebben ze het niet verteld?

Ze durft het hem niet te vragen. Volwassenen zijn onbetrouwbaar, dat weet ze allang.

Vanaf het tweede uur is er gewoon les. Dat wil zeggen, ze gaan volgens rooster naar de verschillende lokalen en hun leraren zijn er dat uur ook, maar verder komt er niet veel van lesgeven. De meesten geven wat werk op en laten iedereen voor zichzelf werken. Wie wil, mag even weg. Sommigen hebben genoeg van alle emoties en gaan aan de slag. Anderen maken er misbruik van en zitten te kletsen. Het is anders dan op andere maandagen.

Zoals ze zaterdag de begrafenis over zich heen heeft laten komen, zo ondergaat Eline deze onwerkelijke eerste schooldag-zonder-Tim. Als verdoofd.

Ze mist hem zo.

Waarom?

Waarom moest hij dood?

Dat kan toch niet? Dat is toch niet eerlijk? Haar opa is oud en ziek. Hij wil graag dood en dat gebeurt maar niet. Terwijl Tim...

Ze pakt haar mobiel en herleest zijn laatste sms'jes. Dat doet ze aldoor. Ze kent ze uit haar hoofd. Ook de állerlaatste, die van Tims laatste avond, toen ze elkaar voor het laatst zouden zien: KKOM NOG EVEN. KWIL JE ZOENEN. KHOU VAN JOU. XJE. Ze zal ze eeuwig in het geheugen laten staan.

Waarom mogen ze niet langer samen zijn?

Waarom? Waarom? WAAROM???

Eline kijkt om zich heen. Zij heeft haar vriend verloren en haar klasgenoten zitten alweer aan hun huiswerk.

Ze rent de klas uit.

# Zomer

## 8

Frank loopt vast het perron op, terwijl Floris' vader kaartjes koopt. Hij voelt zich boos en opgelucht tegelijk.

'We gaan dit jaar liever niet op vakantie,' hebben zijn ouders gezegd. 'Maar als jij wilt...'

Waarom lieten ze hem zelf kiezen? Als Floris er niet was geweest om de knoop door te hakken, zat hij nu nog te aarzelen.

'Kom op,' zegt Floris. 'Zullen we er hier in gaan?'

Ze zwaaien naar Floris' ouders als de trein langzaam wegrijdt.

'Lang leve de vrijheid!' zegt Floris.

'Niemand die iets over ons te zeggen heeft!' zegt Frank, maar hij moet wel zijn schoenen van de bank afhalen van de conducteur die door de coupé loopt.

Floris diept een paar geprinte A4'tjes uit zijn rugzak op. Er staan treintijden op.

'Heb je dat toch meegenomen? Ik dacht dat we wel zouden zien waar, wanneer en hoe we zouden reizen.'

'Vergeet vooral nooit te vragen naar het waarom,' lacht Floris. 'Een zeer belangrijke vraag volgens Van de Velde!'

'Doe normaal, zeg, we zitten niet bij geschiedenis!'

'En de hoe-vraag is overbodig, want we reizen per trein als ik me niet vergis,' zegt Floris terwijl hij om zich heen kijkt. 'Of is dit soms een luchtballon?'

Een geweldige vriend is Floris! Die weet best dat hij zich ellendig voelde thuis en toch niet weg durfde te gaan. Wedden dat Floris expres zo lollig zit te doen?

'Dat doen we volgend jaar!'

'Doe niet zo bejaard, nee, dan ga ik liever parasailen of parachutespringen of zo,' roept Floris.

'Jij? Opschepper! Je durft met gym niet eens aan de hoge rekstok...'

Floris grijnst. 'Geintje joh, met mijn hoogtevrees ga ik de lucht niet in. Nee, geef mij de trein maar, al is dat minder spectaculair.'

Frank kijkt naar buiten. Het was thuis om te stikken. Zijn moeder huilt veel. En dat hindert niet. Maar waarom praat ze niet? Als hij over Tim wil praten of herinneringen wil ophalen, klapt zij dicht. 'Ik vind het nog te moeilijk,' heeft ze een keer gezegd. Hij begrijpt het niet. Ze deed altijd zo geïrriteerd tegen Tim en ook koel, alsof het haar allemaal niet interesseerde. Trouwens, zo doet ze ook tegen hem. Moet je dan eerst doodgaan om te merken dat je moeder van je houdt?

'Ik heb een voorstel,' zegt Floris nadat hij een tijdje naar de vellen papier met treintijden heeft zitten turen. 'Eerst met een grote omweg naar Amsterdam. Vannacht slapen we bij mijn neef. Zo'n dagkaart, man, daar moet je alles uithalen. Ik wil alle treintypes proberen, dus ook de dubbele, over zo veel mogelijk verschillende spoorlijnen!'

Frank lacht. Hij vindt het allemaal best.

'Treinofiel,' zegt hij.

'Fer-ro-fiel,' verbetert Floris hem. 'Ik ben een fer-ro-fiel. Dat klinkt mooier.'

'Dat zal wel, maar ik weet toch graag waarvoor ik iemand uitmaak.'

'Spoorwegen en treinen zijn van ijzer gemaakt.'

'Ja? En?'

'Ik kan wel merken dat jij geen Frans in je pakket hebt. *Fer* is ijzer. *Le chemin de fer* is spoorweg. Je zegt toch ook homofiel als je van mannen en bibliofiel als je van boeken houdt?'

'Nou, jouw Frans houdt ook bij de spoorwegen op!' spot Frank, maar Floris buigt zich weer over de tabellen.

Nu kan hij ook de angst achter zich laten dat iemand hem heeft gezien bij het bushokje. De afgelopen dagen was hij steeds bang dat iemand daarvoor aan de deur kwam. Hij kon er niets aan doen, want het werd hem allemaal te veel op dat moment. Het gebeurde toen hij ging skeeleren.

Terwijl hij door het dorp reed, had hij het gevoel dat ze hem nawezen. Kijk, daar gaat die jongen van Halbesma. Hij voelde gewoon dat ze over hem of over Tim of over zijn moeder praatten, zoals vaker gebeurde.

Hij was in een shitbui. Steeds zwermden dezelfde woorden door zijn hoofd: *We hadden het samen moeten doen: skeeleren of scooter rijden of zwemmen. Samen. Maar nee, Tim heeft mij in de steek gelaten!*

Aan het eind van het dorp stond het bushokje. Hij pakte een steen en gooide zo hard hij kon.

Floris is blijkbaar uitgekeken in zijn papieren treininformatie.

'Moet je die vent zien!' Floris wijst naar de man die aan

de andere kant van het gangpad zit. 'Die is vast vertegenwoordiger van geurtjes en lotions en zo. Ik denk dat hij allemaal flesjes aftershave in zijn koffertje heeft.'

'Nee man, het is een goochelaar. Ik denk dat er een duif in die hoed zit... En goochelspullen in de koffer, kaarten en sjaaltjes en konijnen.'

'En die vrouw?'

Frank kijkt in de hem aangewezen richting. 'Die is actrice!'

Een kind van een jaar of drie loopt heen en weer door het gangpad. Hij steekt zijn tong uit tegen Floris. Floris trekt gekke bekken als het kind weer voorbijkomt. Het jongetje lacht. Frank lacht ook. De opluchting even niet aan Tim te hoeven denken is groter dan hij verwachtte.

Ze zijn overgestapt. Aan de andere kant van het gangpad zit een meisje dat hem vaag aan Eline doet denken, Tims laatste vriendinnetje. Vlak voor de vakantie liep hij een keer tegelijk met haar de fietsenstalling in. Hij was eigenlijk wel nieuwsgierig naar haar, maar hij had net gedaan alsof hij haar niet zag, schijtlaars die hij was.

Tegenover hen, met hun knieën bijna tegen die van hen gedrukt, zitten twee vrouwen luid te praten.

'En nou gaat mijn zus verhuizen naar Canada. Haar man heeft daar een baan gekregen, best een goede betrekking, daar niet van, maar hij had hier toch ook een goed inkomen!'

*Mens, hou op,* denkt Frank. Hij wil het helemaal niet horen.

'De kinderen moeten naar een vreemde school en En-

gels leren en... Nee... ik vind het maar niks en het erg-
ste is dat ik ze dan nog maar één keer per jaar zie, want
ze komen dan alleen nog met kerst naar huis.'
Frank voelt dat hij misselijk wordt. Bij die laatste zin
staat hij plotseling op.
'Wees blij dat u uw zus nog kunt zien!'
Hij voelt de hand van Floris en laat zich meetrekken
naar het halletje van de trein.
'Niet doen, Frank. Kwaad worden heeft geen enkele
zin.'
'Dat mens... ik kan d'r wel wat doen!'
'Maar dat kan niet, rustig nou, joh.'
Frank zucht een paar keer diep.
'Oké, ik weet het.' Hij laat zich op een klapstoeltje zak-
ken.
'Ik blijf even hier zitten, even afkoelen.'
'Best.' Floris knikt. 'Ga ik terug naar onze bagage.'
Als de trein vaart mindert voor het volgende station, loopt
het halletje vol met mensen die willen uitstappen. Zonder
ze echt te zien, staart Frank omhoog naar al die koppen:
oud, jong, mooi, vermoeid, bruin, wit, met rimpels, met
pet, met zonnebril. Ze verdwijnen. Ook de twee vrouwen
stappen uit, ziet Frank. Hij wil al opstaan, maar dan...
...stapt Tim in de trein.
Frank krijgt ineens overal kippenvel. Geschrokken duwt
hij zichzelf met zijn handen tegen de achterwand aan omhoog, het stoeltje schiet met een klap dicht.
*Die klootzak, daar is hij weer en dat heeft hij mij helemaal
niet verteld*, flitst het door hem heen. Hij wil roepen, maar
zijn stem doet het niet. En ach... nee...

Het kan Tim niet zijn! Frank laat zich weer zakken, terwijl hij denkt: *Ik ben toch niet gek, het kan niet, ik weet dat hij dood is. Houdt het dan nooit op?*

De trein begint weer te rijden en Frank staart naar buiten zonder iets te zien. Even later staat Floris voor hem.

'Wat is er? Heb je een geest gezien of zo? Je ziet zo wit.'

'Dat zou je kunnen zeggen, ik dacht dat ik Tim zag. Het was net of hij de trein instapte.'

Floris grijpt de zitting van het oranje klapstoeltje naast Frank en laat het drie keer vanuit horizontale stand terugknallen tegen de wand van de trein.

'Wat doe je nou, man?'

'Weg met de spookbeelden. Kom, we gaan weer binnen zitten. We gaan een hoop lol maken,' zegt Floris. 'Daarom zitten we in de ver-expres! Deze keer met een V van hoe Verder en Vaker en Vreemder, hoe beter.'

Frank grinnikt. Dat geleuter van Floris werkt beslist kalmerend.

Ze moeten nog een keer overstappen. Volgens Floris hebben ze maar vier minuten, dus ze stappen snel uit en rennen naar het andere perron. Op het moment dat ze in de andere trein willen stappen, roepen ze tegelijkertijd: 'Onze rugzakken!'

Met zijn hand voelt Frank het platte tasje dat hij onder zijn kleren draagt en waar zijn geld in zit. Dat kan hij nooit vergeten, maar hun rugzakken liggen nog in het rek recht boven de plek waar ze net zaten.

'Wat stom!' kreunt Frank.

'Wat nu?' vraagt Floris.

Ze kijken elkaar aan en beginnen dan te lachen.

'Floris en Kloris op reis!' zegt Floris.

Frank geeft zijn vriend een stomp tegen zijn bovenarm. 'Kom!' Hij trekt een blauwe conducteursjas aan zijn mouw. 'We hebben een probleem.'

Er wordt geregeld dat hun rugzakken op het volgende station uit de trein worden gezet, waar ze ze kunnen afhalen.

'Die omweg van jou wordt groter dan je zelf verwachtte,' lacht Frank.

# 9

De harde wind doet de takken heen en weer buigen tegen de achtergrond van het blauwwit van de zomerse hemel. Het geritsel van de bladeren vervangt het geraas van
het drukke verkeer, dat over de verderop gelegen weg
rijdt. Hier is het stil, maar daarbuiten, waar het leven is,
gaat alles zijn gang.

Nee, het is hier niet stil. Er is immers het ritselen van
de blaadjes en het suizen van de onzichtbare, maar voel-
baar aanwezige wind en er zijn vogels die om het hardst
fluiten. Het is rustig op de begraafplaats. Je zou geloven
dat de dood vredig is. Hoe zou ze zich voelen als het nu
regende of koud was? Zou zij zich dan anders voelen tegenover de dood?

Eline kijkt naar de plek waar Tim begraven ligt. Er is nog
geen steen, alleen een langwerpige bult zand, waar bloemen
op liggen. Aan wat zich onder het zand bevindt, wil ze liever
niet denken. Toch kan ze niet voorkomen dat haar gedachten dat beeld af en toe even aanraken en dan huivert ze.

Naast Tim is nog zo'n nieuw, anoniem graf, maar aan
de andere kant zijn graven die al af zijn, met een steen
waarop een naam en jaartallen staan.

In gedachten schrijft ze voor Tim de woorden op zijn
steen: 'Veel te jong gestorven. Zijn dood veel te lang ver-
zwegen. In Memoriam Tim, 16 jaar.'

' Nee, dat kan natuurlijk niet. Maar dat 'In Memoriam' vindt ze mooi.

Tim ligt met zes anderen op een veld dat voor het grootste gedeelte nog leeg is en waar plaats is voor doden, die nu nog levend zijn. Je kunt precies zien waar die komen te liggen: het terrein is verdeeld in groene, pasgemaaide stroken grasveld, waar de kisten keurig naast elkaar passen. De grindpaadjes die vanuit het midden op gelijke afstand van elkaar naar links en rechts afbuigen, zullen ooit de voeten van verdrietige nabestaanden leiden. Vreemd woord.

Zij bestaat na Tim.

Ineens heeft ze toch tranen in haar ogen. Ze wil hier niet huilen, ze wil alleen even samen met Tim zijn. Ze gaat op het lege gras tegenover hem zitten. Omdat haar haar steeds voor haar gezicht waait, kan ze ongemerkt haar ogen droog vegen. Het is fijn hier te zijn. Het is goed zo.

Een oude vrouw komt aanlopen met een gieter in haar hand. Bij het achterste graf blijft ze staan. Daar geeft ze de bloemen een beetje water. Als ze weg is, leest Eline de namen op de andere grafstenen. Dat doet ze iedere keer als ze hier is. Het zijn Tims nieuwe vrienden.

Er liggen twee nieuwe bossen bloemen op het graf van Tim en er staat een rieten mandje met een bloeiende plant half ingegraven in het zand.

'Dag, Tim. Lieve Tim.'

Een eind verderop is een winkelcentrum, waar ze zes rozen heeft gekocht. Drie gele rozen legt ze op Tims graf, de andere neemt ze mee naar huis.

Later, op haar kamer, doet ze de rozen in een vaas en die zet ze naast zijn foto. Ze kijkt ernaar.

'Wat denk je, Tim? Zal ik naar ze toe gaan? Zouden je ouders dat fijn vinden? Jij kent ze beter dan ik.'

Als ze alleen is, praat ze vaker tegen Tims foto.

'Ze hebben gezegd dat ik maar eens langs moest komen en dat heb ik nog steeds niet gedaan en ik weet niet goed of ik dat zal doen. Daar heb jij toch wel een mening over?'

Ze zwijgt en kijkt naar zijn gezicht.

De foto kreeg ze van hem toen ze, vlak voor zijn verjaardag, vroeg wat hij wilde hebben.

'Ik wil jou,' antwoordde hij.

'Maar je hebt me toch al?' Eline liep op hem af, haar armen wijd, en drukte zich tegen hem aan.

Zijn gezicht plooide zich tot een brede grijns, hij maakte zich los uit Elines omhelzing, trok haar T-shirt over haar hoofd en zei: 'Eerst de cadeauverpakking eraf!' Hij aaide haar blote borsten en zoende haar armen, haar hals en haar gezicht. Eline legde haar hand onder Tims trui, waar zijn vel zacht, warm en glad aanvoelde.

Haar andere hand bewoog door zijn krullen. Tim tilde haar op en legde haar op het bed. Ze zoenden elkaar fel, terwijl hun handen overal tegelijk probeerden te zijn om het lijf van de ander aan te raken en vast te houden.

'Je bent zo mooi,' fluisterde Tim in Elines oor.

'Ik wou dat je altijd bij me was,' fluisterde ze terug.

'Dat zou niet meevallen, hoor,' zei Tim hardop. 'Ik kan knap chagrijnig zijn.'

'Ja, knap ben je zeker.' Eline volgde met haar wijsvinger de lijn van zijn wenkbrauwen, neus en lippen. 'En ik voel me goed als je bij me bent.'

'We hebben stapels schoolfoto's die pa en ma toch maar in een la hebben gegooid, ik neem er een voor je mee. Dan kun je altijd naar me kijken!'

'Wat denk je?' vraagt ze nog een keer voordat in haar hoofd een beslissing wordt genomen.

Ze weet dat ze het niet durft.

'O, kijk alsjeblieft een andere kant op,' mompelt ze daarna en ze draait het portret om. Soms wordt ze gek van zijn mooie, lachende ogen die uitdagend haar kamer inkijken.

Waarom heeft ze nog altijd het gevoel dat het niet waar kan zijn? Want het ís waar. Tim is niet meer op school. Hij is niet meer naar haar huis gekomen. Hij belt niet meer op.

Arjen is een keer bij haar langs geweest. Ze hebben over Tim gepraat.

'In de klas is het erg. Tims stoel is leeg en niemand durft er te gaan zitten. Iedere les is hij zo nadrukkelijk aanwezig door zijn afwezigheid,' zei Arjen.

Hij is er niet en hij is er wel. Ze was blij dat een ander dat ook zo voelde.

'Mevrouw Brouwer, onze klassenlerares, heeft gisteren de plattegrond van de klas veranderd,' ging Arjen verder, 'zodat het niet meer zo opvalt. De hele klas was het ermee eens, maar het voelt toch een beetje als verraad.'

'Ik mis hem zo,' zei Eline.

'Ja, ik ook.'

Arjen had gevraagd hoe ze elkaar hadden leren kennen.

60

Dat verhaal had ze maar half verteld, want ze wist van Tim dat hij nooit zo veel aan zijn vrienden vertelde en ze kende Arjen verder niet. Toch vond ze het fijn dat hij naar haar toe was gekomen.

Hij heeft haar een beter gevoel gegeven dan al die volwassenen om haar heen, die het zo goed weten en die zogenaamd het beste met haar voorhebben: 'Meid, gelukkig kende je hem nog niet zo lang. Dan is het nog wel moeilijk, natuurlijk, maar dan ben je er sneller overheen, dat zul je zien.' Kasper van de Ploeg heeft dat gezegd. En haar tante en ook de buurvrouw. En de moeder van Ilse zei: 'Denk er maar niet te veel aan, je zult zien, de tijd heelt alle wonden.' Het ergste was oma die zei: 'Over een poosje kom je een andere leuke jongen tegen en dan ben je Tim vergeten.'

Ze wil 'er' niet overheen komen. Ze wil Tim niet vergeten. Begrijpen ze dat dan niet?

Eline draait zijn foto weer naar zich toe.

De eerste keer dat ze hem sprak, lachten zijn ogen niet. Hij zat achter de school, waar een sloot langs het gebouw loopt. Daar is een strook groen, vol struiken en planten. Na schooltijd zitten er vaak stelletjes te zoenen.

Tim zat er alleen. Eline had hem zien lopen en ze was achter hem aan gegaan. Ze kende hem alleen van gezicht en van reputatie: dat is Tim uit 3-vwo en hij is populair bij de meiden. Ze was voor zijn uiterlijk gevallen, maar zei het tegen niemand, want zo'n bink was eigenlijk haar type niet. Maar ze moest gewoon naar hem kijken als ze hem tegenkwam op de gang of hem in de kantine zag. Toen ze hem die middag zag lopen, leek hij niet op een macho. Ze kon het niet goed onder woorden brengen, maar iets in zijn houding deed haar besluiten hem te volgen.

Hij zat daar en ze zag dat hij zich voelde zoals zij vaak was. Zijn gezicht stond triest en hij had kromme schouders en zijn vingers verpulverden de paardenbloembladeren die aan de kant van de sloot groeiden. Ze ging op een afstand van hem zitten, niet zeker of ze iets tegen hem durfde te zeggen.

Toen hij opkeek, waren zijn ogen verdacht vochtig. Ze voelde zich betrapt en dacht dat hij boos zou worden, maar hij zei tot haar stomme verbazing: 'Soms voel ik me zo klote.'

'Sorry dat ik je stoor.'

Tim zweeg. Eline wist niet goed wat ze nog meer kon zeggen en wachtte af. Na een poosje zei Tim meer tegen de sloot dan tegen haar: 'Iedereen verwacht dat je het allemaal wel weet en allemaal wel kan. Vooral als je een grote mond hebt, denken ze dat. Maar soms weet ik niks en kan ik niks.'

Dat had Eline niet verwacht. 'Ik ken dat,' zei ze.

Tim keek opzij. 'Dat zeg je maar.'

'Nee, ik meen het.'

'Ik geloof je niet.'

Eline haalde haar schouders op. Ze ging staan. 'Nou, sterkte ermee.'

'Sorry, dat had ik niet moeten zeggen,' zei Tim snel.

Aarzelend ging Eline weer zitten, dichter bij hem nu.

'Ik ben Tim,' zei Tim.

'Ik ben Eline,' zei Eline.

'In welke klas zit je?' vroeg Tim. Ze vertelden over en weer van zichzelf: in welke klas ze zaten, welke leraren ze hadden, waar ze woonden en welke hobby's ze hadden. Een week later hadden ze verkering.

# 10

Eline staat twijfelend voor de spiegel. Het is uitverkoop en ze heeft geld gekregen voor nieuwe kleren, maar ze kan niet beslissen. Terwijl ze zich om en om draait, baalt ze weer dat Ilse al op vakantie is. Ze doet de kleren uit en hangt ze terug.

Daarna gaat ze verder. Bij de volgende kledingzaak kijkt ze naar de etalagepoppen, die met een levenloze blik in het niets staren. Je zal maar etalagepop zijn, iedereen mag je ongestraft begluren, al sta je er halfnaakt bij! De ruit weerspiegelt ineens een bekende jongensfiguur met een rugzak op zijn rug. Geschrokken draait Eline zich om.

'Hoi,' zegt Frank, Tims broer.

'Hallo.'

Ze staan een moment ongemakkelijk tegenover elkaar. *Hij lijkt zo veel op Tim.*

*Mijn broertje had een goeie smaak.*

Dan lachen ze naar elkaar.

'Ben je op vakantie geweest?' vraagt Eline.

'Ja, ik ben net terug, ik ben een paar dagen met een vriend weg geweest. Ik moet nog wat voor mijn pa en ma meenemen, dus ik liep nog wat rond.'

'Waar ben je geweest?'

'Een paar grote steden: Amsterdam, Rotterdam, Maas-

tricht, Groningen. Wel leuk.' Frank vertelt van hun trein-
reis.
Eline lacht als ze van de rugzakken hoort.
'Ga jij nog weg?' vraagt Frank.
'Ja, volgende week. We gaan twee weken naar Duits-
land. Wij kamperen altijd.'
'Is dat leuk, kamperen? Dat heb ik nog nooit gedaan.'
Even praten ze over de vakantie. Dan is het weer stil.
'Zullen we wat drinken?' waagt Frank.
'Leuk,' hoort Eline zichzelf zeggen.

'Hoe gaat het met jou?' vraagt Eline als ze op een terras
zitten.
'Och, gaat,' antwoordt Frank. Hij vindt het fijn dat iemand hem dat vraagt. 'Het is steeds zo… aanwezig. Daar
baal ik wel eens van. Op de meest onverwachte momen-
ten flitsen filmbeelden van Tim voorbij. Je bent iets aan
het doen, bijvoorbeeld een zak patat eten, en dan floep…
rolt Tim over het scherm en denk je aan die keer dat je
dat samen met Tim deed. Begrijp je wat ik bedoel?'
'Ja,' knikt Eline.
'En ook… heb ik me schuldig gevoeld omdat ik lol zat
te maken.' Frank verbaast zich erover dat hij dat zomaar
vertelt. Vindt ze het niet gek?
Maar Eline kijkt hem aan en zegt: 'Ik vraag me wel eens
af of er ooit een dag komt dat je alles weer gewoon kunt
doen als ervoor…'
'Jullie hadden nog maar net verkering, hè?' vraagt Frank.
Eline kijkt hem even wantrouwend aan. Begint hij nou
ook al?

'Ja, we wilden het nog voor onszelf houden.'

'Hij heeft mij niks verteld hoor,' zegt Frank snel. 'Maar dat hij tot over zijn oren op je was, weet ik wel.'

Eline bloost. Wat moet ze daar nou op zeggen?

'Ik mis hem heel erg,' zegt ze zacht.

'Ik ook,' mompelt Frank. Hardop laat hij erop volgen: 'Waar blijft de bediening? Ik heb dorst.' Hij staat op. 'Ik haal binnen wel wat. Wat wil jij?'

Eline kijkt hem na als hij naar binnen loopt. Zelfs zijn manier van lopen lijkt op die van Tim. Zoals hij wegliep, die eerste keer. En toen de volgende ochtend op school... Ze is weer helemaal terug, bij toen...

Ze had hem niet meer uit haar hoofd kunnen zetten. Ze sliep die nacht bijna niet en de volgende ochtend stapte ze gespannen de school binnen. In de kantine zat een andere Tim. En toen kon ze zichzelf wel voor haar kop slaan. Ze wist het toch: ze had de stoere Tim vaker zien rondlopen met een air of hij de hele wereld aankon.

Toen hij haar 's middags aansprak, liep ze zonder iets te zeggen van hem weg. Hij riep haar na, maar ze reageerde niet. Twee dagen vocht ze met de teleurstelling, maar haar verliefdheid was ze niet zomaar kwijt, natuurlijk.

Toen stonden ze ineens tegenover elkaar bij het biologielokaal. Het was rustig op dat moment, want het was onder de les. Ze mocht onder Nederlands naar de bibliotheek.

'Waarom loop je voor me weg?' vroeg hij. Al stond hij wijdbeens voor haar, zijn stem klonk onzeker.

'Ik houd niet van stoere jongens.'

Tim verschoof zijn rechtervoet, zodat die dichter bij zijn linkervoet kwam te staan.

'Misschien ben ik geen stoere jongen.'

'Volgens mij doe je erg je best om dat wel te zijn en voor mij hoeft dat niet.'

Ze wilde doorlopen.

'Ik wil graag nog eens met je praten,' hield hij aan.

Ze keek hem onderzoekend aan. Dacht na. 'Misschien heb je gelijk en doe je maar alsof je zo stoer bent. Oké, ik wil wel iets met je afspreken, maar niet in de kantine.'

'Weer achter school? Bij het water?'

'Als er niemand anders is, goed,' stemde Eline in.

'Hoe laat ben je uit?'

'Tien voor half drie.'

'O, jammer, ik pas om tien over drie.'

'Ik wacht wel, ik moet toch voor Nederlands een opdracht maken, dan ga ik wel eerst naar de bieb.' Kon ze mooi voor haar vriendinnen verborgen houden dat ze een afspraak had met Tim uit 3-vwo. Ze hoorde hun commentaar al: 'Dat is toch niks voor jou?'

'Maar nou moet ik door, hoor. Tot later.'

Eline zweefde door de gang naar de bibliotheek en de rest van de dag kon ze haar aandacht niet bij de les houden. Ze had het nooit begrepen van de andere meiden; je kon toch wel tegelijkertijd verliefd zijn en een geschiedenisproefwerk leren of wiskundesommen maken? Die middag ontdekte ze dat dat níét kon.

Gelukkig zat er niemand toen ze, nog voor de bel van het zevende uur was gegaan, bij de sloot achter de school kwam. Zenuwachtig wachtte ze op hem. Ze had een afspraak met een jongen! Een, die tegenstrijdige gevoelens bij haar opriep.

Ze praatten eerst over school en daarna over de zwemclub van Tim en over judo en over haar paardrijden. Daarna vertelde Tim trots dat hij een scooter zou krijgen als hij zestien werd. Dat duurde op de kop af nog vier weken. 'Niet meer elke dag dat rotstuk fietsen en 's zaterdags lekker prutsen aan dat ding!'

'En de motor opvoeren, zeker.'

'Misschien, een beetje. Ze controleren wel vaak, tegenwoordig.'

Het bleef even stil. Toen begonnen ze allebei tegelijk te praten.

'O, wat klonk dat tuttig...'

'Wat je vanmiddag zei...'

Ze lachten.

'Jij eerst. Ik had niks belangrijks,' zei Eline.

'Je had gelijk toen je zei... Ik doe vaak stoer, maar... het is soms maar een houding. Ik ben wel eens onzeker en dat voelt niet lekker. Ik voel me soms klote zonder dat ik precies weet waardoor... En dan voel ik me rot, omdat ik dat niet durf te zeggen.'

'Je hebt toch een hoop vrienden?'

'Ja, maar ik ben bang dat ze me uitlachen als ze het weten, dat ze me een watje zullen vinden. Zij lijken allemaal zo zeker van zichzelf, dus ik doe ook maar alsof.'

'En je broer dan?'

'Die weet het ook niet. We doen wel veel samen, maar praten doen we niet zo veel. En ik denk niet dat hij het begrijpt. Hij is een beetje oppervlakkig. Hij zal waarschijnlijk zeggen: doe toch niet zo moeilijk.'

Tim krabde op zijn hoofd.

'Weet je,' ging hij verder, 'het heeft ook te maken met... Toen ik naar de brugklas ging, moeten mijn ouders gedacht hebben dat ik oud en wijs genoeg was om voor mezelf te zorgen. Ik bedoel, ze koken natuurlijk voor ons en mijn moeder wast mijn kleren, maar ik had heel erg het gevoel... Ik bedoel... we moesten het alleen doen, we werden geacht "groot" te zijn, want dat gold ook voor mijn broer. Maar ik voelde me niet "groot". Ik voelde me onzeker en in de steek gelaten.'

Eline zou haar arm om hem heen willen slaan, maar ze durfde niet.

'Mijn moeder vraagt nooit hoe het met me gaat en mijn pa is altijd in de winkel en die heeft na zessen zijn administratie en dan wil hij niet lastiggevallen worden met onbelangrijke zaken als puber-ellende, zoals hij zegt. Ze hebben niet echt belangstelling voor ons. Het enige waar ze naar vragen, is huiswerk en rapportcijfers.' Tim lachte spottend. 'Ja, dat is het enige waarmee we pa's waardering kunnen vangen: een acht of een negen voor een proefwerk. Mijn broer werkt er hard voor, al lukt het hem niet zo vaak, nou, ik verdom het.' Daarna draaide hij zijn hoofd opzij en keek hij Eline aan. 'Daarom ben ik ook blijven zitten vorig jaar. Ik doe de derde voor de tweede keer. Te weinig gedaan. Ik was wel erg met mezelf bezig, maar niet met school. Stom, hè?'

'Nee, dat is niet stom.'

Tim keek haar aan, alsof hij wilde controleren of zij het meende.

'Toen we hier dinsdag zaten,' vervolgde Tim, 'zei je dat je dat gevoel van je minderwaardig voelen wel kent.'

'Ja,' zei Eline. 'Ik heb er vooral 's nachts last van. Als ik niet kan slapen, ben ik bang en dan voel ik me onzeker. Dan zie ik het allemaal niet zo zitten...' Ze vertelde over haar slapeloze nachten.

Het was net of alles lichter werd nu ze met Tim hierover kon praten.

'Ik weet niet wat het is, ik heb het nog nooit aan iemand verteld...' zei Tim voordat ze naar huis gingen.

Het duurde nog een paar dagen voor Eline haar arm om Tim heen durfde te slaan. Toen zoenden ze elkaar voor het eerst, lang en heftig, alsof ze allebei onder spanning stonden.

Als ze elkaar tegenkwamen in de gang of in de kantine en hun blikken ontmoetten elkaar, wist ze dat Tim en zij hetzelfde dachten: ik vind je lief. Ik voel me sterker door jou. Wanneer Tim bij zijn klasgenoten zat, ging Eline hem uit de weg, want alleen voor haar had hij zijn masker afgedaan. Vanaf dat moment zaten ze vaker samen achter school, maar zij waren niet het enige stel. Hun plek was regelmatig bezet. Ze nam Tim mee naar huis.

In het weekend fietste ze naar zijn dorp, waar ze afspraken op plekken waar ze niemand van school zouden tegenkomen. Na zijn verjaardag haalde Tim haar op en kroop ze achter op de scooter. Ze had minder last van wisselende stemmingen sinds ze Tim kende. Tim was in één woord geweldig.

Als Frank met twee glazen cola voor haar staat, schrikt ze op. Tim is dood.

'Je... lijkt zo veel op hem,' zegt ze.

'Alleen wat uiterlijk betreft, hoor!' lacht Frank. 'Vroeger hoorden we dat vaak. Jij bent de eerste die het zegt sinds Tim er niet meer is.' Hij zet de glazen voor haar op het tafeltje.

Ineens komt er een herinnering boven. 'Tim had een keer op straat een geintje uitgehaald met een portemonnee aan een draadje, je kent dat wel. Je komt nietsvermoedend langsfietsen en ziet een portemonnee op straat liggen en dan stap je af en ráng... weg portemonnee. Nou kwam onze buurvrouw toevallig door die straat en ze dacht dat ze mij zag. Dus kwam ze aan de deur klagen: of mijn moeder wel wist wat ik deed. En ik wist van niks! Ik kreeg dubbel straf: voor dat rotgeintje en omdat ik loog. Gelukkig was Tim wel zo fair dat hij eerlijk opbiechtte dat hij de schuldige was.'

'Vertel nog eens wat over hem?'

Frank lacht. Hij heeft er duidelijk plezier in herinneringen op te halen. Voor ze het weten, is het vijf uur.

'Heb jij dat nou ook, dat je je steeds afvraagt waarom?' vraagt Eline. 'Ik kan het maar niet uit mijn hoofd zetten. Steeds weer wil ik een antwoord op de vraag waarom hij doodging.'

Frank gaat rechtop zitten. 'Waarom? Omdat die kloothommel geen helm droeg en te snel reed, natuurlijk!' Het klinkt agressiever dan hij het bedoelt.

Eline schrikt van de felle toon. 'Je bent boos op Tim!' zegt ze verbaasd.

*Nu zal ze wel opstappen*, denkt Frank. *Dit accepteert ze vast niet.*

Maar dan hoort hij haar zeggen: 'Ja, ja, dat kan ik me voorstellen. Zo had ik het nog niet bekeken.'

Opgelucht kijkt Frank weer op.

Ze lacht naar hem. 'Ik vind het fijn om met je over Tim te praten. Ik heb je op school wel gezien, maar... nou ja, ik durfde nooit naar je toe te gaan.'

Frank hoort haar uitspreken wat hij zelf ook gedacht heeft. Als hij net als Tim wat makkelijker met meisjes was, was het wel gebeurd.

'Maar nou moet ik er echt vandoor,' zegt Frank. 'Ik moet nog iets voor mijn pa en ma kopen.'

'Ik ga nog wel even met je mee.'

Een half uur later nemen ze afscheid bij de bushalte.

'Ik zie je na de vakantie op school!' roept Eline hem na.

Onderweg naar huis bedenkt Frank dat hij haar had kunnen vragen een keer langs te komen. Of haar mobiele nummer. Stom dat hij dat niet heeft gedaan.

# 11

Door de opengeschoven gordijnen kijkt Eline die avond vanuit haar bed naar de nacht, die door de bijna volle maan en de vele sterren wordt verlicht.

Het is al laat, bijna half twee, en het is op straat net zo stil als in huis. Een poos geleden heeft ze haar ouders naar bed horen gaan, daarna heeft ze nog een tijd gelezen.

Ze kan niet slapen.

Ze heeft altijd moeite met inslapen gehad.

'Toen je een baby was, huilde je altijd als je naar bed gebracht werd,' hebben haar ouders vaak verteld. 'En toen je een peuter was, moest er altijd speelgoed mee naar bed. Dan zat je nog een hele tijd te spelen.'

Ze weet nog goed dat ze het heerlijk vond dat ze leerde lezen, want toen kon ze de tijd vullen met boeken en tijdschriften. Dat doet ze nog steeds. Veel lezen in bed – en piekeren.

Ze gaat haar bed uit en loopt naar de badkamer. Met een glas water komt ze terug en dan gaat ze voor het open raam staan.

Die eindeloze hemel vol sterren roept bij haar een overdonderend gevoel van alleen-zijn op. Toch kan ze de gordijnen niet dichtdoen. Als Tim daar ergens is, wil ze hem zien schitteren. Dat heeft ze nodig. Overdag is ze vijftien, 's nachts voelt ze zich een klein meisje. Als ze niet kan slapen, lijkt alles te vervagen. Wat ze overdag geleerd en gedaan heeft, lijkt onbelangrijk. Waar ze overdag zeker van was, is ze kwijt.

Gedachten en herinneringen cirkelen door haar hoofd.

Ze was vijf jaar en ze kon niet slapen.

'Mamma!' riep ze. 'Mag ik nog wat water? Ik heb zo'n dorst.'

Ze kreeg een slokje water en een kus.

'Nou lekker gaan slapen, hè, lieverd?'

'Mag het licht op de gang aanblijven?'

'Ja hoor, dag Lientje.'

Maar ze kon niet slapen. Na een heel lange tijd wachten ging ze haar bed uit, naar beneden. Voorzichtig deed ze de kamerdeur een stukje open. Pappa zat op de bank en gaf de baby een fles. Mamma zat naast hem, ze had een heel lief gezicht terwijl ze naar het kleine zusje keek.

'Pappa, ik kan niet slapen.'

'Eline toch, ik heb het al zo vaak gezegd: je blijft boven!' zei mamma. 'Kinderen horen in hun bed te liggen als het al zo laat is. Ga nog maar even spelen als je niet kunt slapen.'

Mamma werd altijd zo gauw boos. Snel sloot Eline de deur en kroop weer in bed, haar beer dicht tegen zich aan.

Ze wou wel gaan spelen, maar haar speelgoed leek 's avonds zo anders. De pop leek op een heks en het poppenbedje met het hemeltje op een draak. De vuilnisauto, waar je overdag zo leuk mee kon spelen, werd zo groot dat je zelf in dat geheimzinnige gat kon verdwijnen en het clowntje keek ineens zo lelijk naar haar. Op de kleurplaat van school, waar de dieren uit de dierentuin op stonden, ging de leeuw brullen en de beer liep weg en verstopte zich onder het bed. En daar zat vast ook een kinderlokker.

Toen het gordijn bewoog voor het open raam, begon ze te huilen.

Mamma kwam boven. Gelukkig was ze niet boos meer. Mamma kon al die enge dingen in haar kamer en in haar hoofd wegtoveren. Ze had daarvoor een stok in felle kleuren geschilderd en daarmee zwaaide ze door Elines kamer. Ze gaf een tik tegen de poppenwieg, het clowntje en de auto en ze veegde langs Elines voorhoofd en zo joeg ze kinderlokkers, beren, heksen en monsters de deur uit.

'Ik ben nou niet meer bang,' zei Eline opgelucht.

'Dan ga je nou lekker slapen, hè, Lientje?'

'Kom je nog even bij me liggen?'

Ze lagen dicht tegen elkaar aan, mamma's arm om haar heen geslagen.

'Je gaat nooit bij me weg, hè?'

'Nee, Lienepien, ik blijf altijd bij je.'

'Je moet altijd voor me toveren als ik bang ben.'

'Ik zal altijd voor je toveren, lief feetje.'

Een poosje later werd haar moeder ziek en moest ze voor een paar weken naar het ziekenhuis. En al mocht Eline bij haar op bezoek komen, haar moeder was niet altijd bij haar gebleven, zoals ze gezegd had. Haar vader en het buurmeisje dat oppaste, konden geen van beiden zo goed toveren als mamma.

Het was op een dag in de winter. Eline was net dertien

75

geworden en zat in de brugklas. Er was zo veel sneeuw gevallen, dat ze niet op de fiets naar school kon. Haar vader had haar met de auto naar school gebracht. 'Ik kom je ook weer halen, schat!' riep hij voor hij weer achter het stuur ging zitten. 'Tien voor half drie!'

Ze stond buiten in de kou op hem te wachten, maar hij kwam niet. Het was toen al te laat om nog met een vriendinnetje mee te rijden en haar mobiel lag thuis. Ze besloot naar huis te lopen. Ze deed er een uur over.

Onderweg zette ze op een rijtje wat er allemaal mis was gegaan. Het proefwerk Duits was moeilijker dan ze verwacht had. Dat werd vast een onvoldoende. Met gym hadden ze volleybal gedaan.

'Eline, slome, zet je bril eens op!' Ze hoort de andere kinderen nog roepen. 'Hé, slaapkop, kan je die bal niet raken!' Ze was veel beter in de toestellen.

De vorige dag was ze er ten onrechte uit gestuurd bij Nederlands en ze had uit protest haar strafwerk niet gemaakt. Ze had haar ouders gevraagd of zij een briefje wilden schrijven aan de leraar Nederlands.

'Welnee, meid, je regelt je eigen zaken maar! Als het echt niet waar is dat jij en Ilse zaten te praten, dan kun je toch gewoon naar die man toe gaan en hem zeggen dat het Shariah en Tineke waren,' had haar moeder gezegd.

Alsof je 'gewoon' met leraren kon praten over deze dingen! Hij had gezegd dat als zij nu niet hadden gepraat, het strafwerk gold voor al die andere keren dat ze wel hadden zitten praten. Nu had ze een dubbele portie strafwerk, omdat ze geprobeerd had eronderuit te komen.

En tot slot was haar vader vergeten haar op te halen.

Toen ze verkleumd thuiskwam, zat hij met zijn voeten op de verwarming de krant te lezen met de koffiekan naast zijn stoel. Om hem heen lagen stapels kranten en tijdschriften, met de poppen van Marloes ertussen. Op de tafel in de kamer stonden vuile borden en in de keuken stond een volle wasmand voor de geopende deur van de wasmachine.

Ineens realiseerde Eline zich dat hun huishouden een chaos was, want de rommel die ze zag, was geen uitzondering. Het gebeurde geregeld dat er niet op tijd eten op tafel stond of er geen schone kleren in de kast lagen. En daar was haar moeder net zo schuldig aan als haar vader, want met die onregelmatige diensten die ze allebei hadden in het psychiatrische ziekenhuis waar ze werkten, deden ze in verstrooidheid niet voor elkaar onder. De een dacht soms dat de ander het wel gedaan zou hebben: 'Maar pappa heeft toch boodschappen gedaan?'

Toen ze de kamer binnenkwam, sprong haar vader schuldbewust op. 'Eline, meisje, ik ben het helemaal vergeten! O, wat stom, en nu ben je door en door koud. Kom gauw hier, doe je natte jas en schoenen uit. Kind toch, je voeten zijn steenkoud. Had toch even gebeld. Ik wilde eindelijk al die kranten eens lezen en ben het helemaal vergeten. Marloes speelt bij een vriendinnetje en ik wist niet dat het al zo laat was. Kom bij me zitten, ik maak wat warme chocola voor je.'

Die avond lag ze in bed te woelen en te draaien. Allerlei dingen die ze vergeten was, kwamen boven: ze zouden naar de dierentuin gaan, maar pappa moest plotseling werken. Ja, echt, ze mocht voor haar verjaardag een hamster hebben, maar ze kreeg een fototoestel. Heus, Lientje, ik haal kaartjes voor de film voor je verjaardagspartijtje – maar ze waren het vergeten. Toen dacht ze: *Ik weet dat pappa en mamma zwakke plekken hebben en fouten maken. Ze kunnen me niet tegen alles beschermen. Ik sta er soms alleen voor. Ik weet zeker dat pappa en mamma veel van me houden, maar ze kunnen mijn angst niet meer wegnemen, zoals vroeger met het toverstokje.*

Eline draait weg van het raam. Ze drinkt een slok water, pakt Tims portret van de kast en gaat met de foto op haar bed zitten. Ze knipt het nachtlampje aan.

Met Tim had ze niet meer het gevoel dat ze er alleen voor stond. Als ze 's nachts aan hem dacht, werd ze rustiger. Met Tim voelde ze zich veilig. Dat is ze nu weer kwijt.

'Je hebt mij gelukkig gemaakt,' fluistert ze tegen hem. 'Je hebt mij ook verdrietig gemaakt. Maar wat ook zo veel pijn doet, is dat er mensen zijn geweest die niet hebben verteld dat jij dood was, terwijl ze het wel wisten. Ze hebben me die laatste dagen met jou afgepakt. Toen Roy vertelde dat hun hele bus om jou huilde en dat ze tijdens de excursie samen verdrietig konden zijn, was ik jaloers, begrijp je dat? Ik had daar ook bij willen zijn... Gelukkig mocht ik wel naar je begrafenis, maar ik voelde dat ik er niet bij hoorde.' Eline glijdt met haar vingertoppen over de foto. 'Pappa en mamma zijn lief,' gaat ze verder. 'Ze proberen me echt goed op te vangen. Zelfs Marloes doet minder vaak klierig, al loopt ze weg als ik moet huilen. 't Liefst ga ik naar Ilse, al weet die ook niet altijd wat ze met mij aan moet. Maar als ze gewoon naast me zit en niks zegt, is het al genoeg.'

Eline drukt haar lippen tegen het glas en blijft een poos zo zitten.

Dan legt ze Tims foto naast zich op haar kussen en rolt zich op in haar bed. Met het dekbed strak om zich heen probeert ze te slapen.

# Herfst

## 12

Frank is met nog een paar anderen overgebleven in de gymzaal. Het is bijna tijd. Vlug probeert hij de laatste opgave van zijn schoolexamen natuurkunde af te raffelen. Als er maar wat staat, misschien zit er nog iets bij wat goed is... Hij is veel te lang bezig geweest met die eerste vragen.

Nee, hij is veel te lang bezig geweest met zich af te vragen wat voor zin dit allemaal heeft.

'Nog vijf minuten, jongens,' klinkt de stem van de surveillant.

Het zweet breekt hem uit. Hij pent als een gek.

'En leg je pen maar neer. Antwoorden en opgaven inleveren bij de deur.'

Met een zucht legt Frank de blaadjes op elkaar. Schoolexamen natuurkunde 5-havo, staat erboven. Het is dat hij na zijn vmbo-examen niet geweten had wat hij wilde, anders had hij zich nooit door zijn ouders laten overhalen om ook nog eens de havo te doen.

Hij doet zijn pen in zijn etui en gooit het lege blikje energydrink in de prullenbak. Veel van zijn klasgenoten maken hun examens op energydrink, hem heeft het niet geholpen.

Dat was het dan. De tafels, zo netjes in rijen neergezet, kunnen weggehaald worden zodat ze hier vanaf morgen weer aan de ringen kunnen hangen of basketballen. Nu kunnen de conciërges zich eerst een partijtje ergeren aan de koffiebekers, blikjes en klokhuizen die achtergelaten zijn.

Hij is de laatste die zijn werk inlevert bij de surveillant. Frank weet dat De Vries biologie geeft, maar hij heeft nooit les van hem gehad.

'Je hebt je naam niet ingevuld,' zegt De Vries, wijzend op de lege regel aan de bovenkant van het papier.

Hij geeft Frank zijn pen en kijkt toe als Frank gauw zijn naam invult.

'Ben jij de broer van Tim Halbesma?' vraagt De Vries.

Frank knikt. Nu niet meer, wil hij zeggen, maar hij houdt zich in.

'Ik heb Tim twee jaar in de klas gehad, een leuke jongen,' zegt De Vries dan. Tim is nog nooit zo vaak geprezen als na zijn dood, terwijl Frank zich als de dag van gisteren kan herinneren hoe zijn vader tegen Tim tekeerging na een ouderavond op school, waar geklaagd werd over Tims grote mond.

Frank geeft de blaadjes zwijgend aan De Vries. Hij zou graag een gevat antwoord willen geven, maar is meestal niet snel genoeg.

'Hoe is het met je moeder?' vraagt De Vries.

Ook dat gebeurt vaker, dat mensen zomaar naar zijn moeder vragen en net als al die andere keren, wordt Frank boos. Hij heeft toch ook verdriet? Waarom vragen ze het niet aan hem? Staat zijn moeder soms voor die grote neus?

Nu weet hij wel een antwoord. 'Dat moet u haar zelf maar vragen. Als u het wilt weten, ons telefoonnummer is…' Frank noemt rap en kortaf de cijfers. 'En zegt u vooral tegen mijn natuurkundeleraar dat ik zielig ben, misschien geeft hij me dan wel een paar punten cadeau.'

Vlug loopt Frank weg en als hij achter de gymzalen langs naar de hal van de school loopt, voelt hij zich met elke stap kilo's lichter worden. Het zit erop.

Als hij zijn jas van de kapstok haalt, ziet hij Eline staan.

'Hè, hè,' begroet ze hem. 'Ik dacht dat je nooit kwam.'

Staat ze op hem te wachten?

'Hoi, Eline. Tja, jee, het was beremoeilijk, ik was nog lang niet klaar.' Hij heeft haar een paar dagen niet gezien. 'Ben je ziek geweest?'

'Ja.'

Ze ziet eruit alsof ze nog niet helemaal beter is.

'Hoe ging het?' vraagt Eline.

'Beroerd.'

'En de rest?'

'Nog beroerder.'

'Echt?'

'Maar ik ben nou klaar. En als het aan mij ligt, kom ik hier niet weer terug.'

'Hoe bedoel je?'

'Zoals ik het zeg. Voor mij hoeft het niet meer,' maakt Frank duidelijk. 'Stond je op mij te wachten?' laat hij er snel op volgen.

'Ja, ik dacht, misschien wil je nog iets drinken. Zullen we naar de kantine? Om te vieren dat de eerste ronde erop zit?'

Er valt bitter weinig te vieren, maar Frank gaat graag mee. Hij vindt het fijn om, zoals nu, na school nog een poos met haar in de kantine te zitten kletsen. In de pauze zoeken ze steeds vaker elkaars gezelschap op en regelmatig zit Floris of Ilse er ook bij. 'Hoe is het met jouw schoolexamens?' vraagt Frank als ze met thee en een gevulde koek in de nu rustige kantine zitten.

'In vmbo-4 hebben we de schoolexamens verspreid over het hele jaar. Ik heb vorige week aardrijkskunde gehad, daar had ik een zeven voor.'

'O ja, dat is ook zo. Veel minder gestress!' zegt Frank met een zucht. En dan laat hij er jaloers op volgen: 'Een zeven, wat goed.'

'Maar vertel nou eens, wat hoeft van jou niet meer?'

'School. De havo. Ik heb mijn toetsen vreselijk verknald. Alleen Engels ging nog redelijk, maar dat was een brief, dat is nog wel te doen.' Hij zucht opnieuw. 'Ik heb er gewoon te weinig voor gedaan. Het gaat niet, of ik wil niet, of wat dan ook. Ik heb zin om ermee te kappen. Tenslotte heb ik al een diploma.'

'Maar wat wil je dan?'

'Dat weet ik eigenlijk niet goed. Werken.'

'Vinden je ouders dat goed?'

'Ik denk het niet. Die vinden een goede opleiding heel belangrijk. Maar ik kan het gewoon niet! Ik heb niet van die briljante hersens als Tim. Straks moeten we ons opgeven voor een vervolgopleiding en ik heb de pest in omdat ik nog steeds niet weet wat ik wil. Weet jij het al wel?'

Eline schudt haar hoofd. 'Nee, ook nog niet. Ik vind het zo'n raar idee dat je moet kiezen voor iets wat je dan je hele leven verder moet doen.'

'Dus ik ben niet de enige!'
'O nee, zeker niet!'

Frank zet zijn scooter in de garage. Zijn ouders vinden het vast niet goed, maar het wordt tijd dat hij zijn eigen keuzes maakt.

'Dag ma, niet meer in de winkel?' begroet hij zijn moeder, die met een kopje koffie aan tafel een tijdschrift zit te lezen.

'Nee, het was niet erg druk vandaag. Hoe ging natuurkunde?'

Meteen maar zeggen. Frank gaat bij haar aan tafel zitten.

'Klote.'

'Frank, niet van die woorden, alsjeblieft. Je kunt ook gewoon zeggen dat het slecht ging.'

'Nou zeg je het zelf, het gaat slecht! Ik haal de ene onvoldoende na de andere. Ma, ik doe het niet meer!'

'Hoe bedoel je?'

'Ik wil stoppen met school.'

'Frank! Je hebt nog helemaal geen cijfers terug. Laten we die eerst afwachten.'

'Dat is niet nodig, ma. Ik heb zo'n slechte start gemaakt dat ik het nooit meer ophaal. Ik ga van school af.'

'Geen sprake van, Frank! Je kunt niet weglopen voor een beetje tegenslag. Jij hebt genoeg in huis voor het havodiploma, dat weet ik zeker. Er zijn omstandigheden die nu tegenwerken, dat blijft niet zo.'

Frank stuift op: 'Denk je dat ik over een poosje Tim wel vergeten zal zijn zodat ik me beter kan concentreren?'

'Nee, rustig nou maar. Het is voor ons allemaal moeilijk. Ik zeg alleen dat het beter zal gaan.'

'Hoe weet jij dat nou?'

'Je bent onze enige hoop, Frank,' zegt zijn moeder zacht. 'Wij verwachten van je dat je een goede opleiding volgt, dan heb je later meer kans op een goede baan.'

Frank voelt dat hij driftig wordt. 'Is er nog koffie?' vraagt hij om de kans kleiner te maken dat hij zal exploderen.

Terwijl hij koffie inschenkt, hoort hij zijn moeder gesmoord zeggen: 'We hadden ons zo veel voorgesteld van Tim. We hadden zo gehoopt dat hij het ver zou brengen.'

Frank roert in zijn kopje.

Dan begint zijn moeder ineens te huilen. Ongelukkig kijkt Frank naar haar.

'Ik voel me zo schuldig,' snikt zijn moeder. 'Tim was zo lastig, ik ben zo vaak boos op hem geweest. En ik kan niks meer goedmaken. Ik kan niet meer tegen hem zeggen dat ik van hem houd.'

Hoe moet hij hierop reageren? Hij kan toch moeilijk zeggen: *Vertel me dan dat je ook van mij houdt!*

'Als klein kind al was hij dwars. Hij ging altijd overal tegenin, tegen alles zei hij nee. Ik kon hem toen al niet goed aan. En nu...' Ze kan niet verder praten. Ze veegt met haar zakdoek langs haar ogen.

Frank strijkt met zijn hand even langs haar bovenarm en schenkt haar dan nieuwe koffie in, waarna hij het kopje in haar handen drukt. 'Hier ma, drink maar op.'

'Dank je.' Ze glimlacht naar hem. 'Jij was veel makkelijker, met jou hebben we nooit veel problemen gehad.'

'Ik had altijd meer moeite met school, daar hebben jullie je wel zorgen over gemaakt.'

'Ja, dat is zo. Maar ook over Tim, want al kon die jongen goed leren, hij deed het niet altijd. Toen hij vorig jaar bleef zitten, begreep ik er niks van.'

*Dat lag aan jezelf, mens.* Hij durft het niet te zeggen. 'Ja, en pa was boos,' zegt hij wel. Toch heeft hij met haar te doen.

'Weet je nog, die keer dat Tim...' Zijn moeder begint te vertellen.

Goed, laat die cijfers voor zijn schoolexamens eerst maar komen, hij zal morgen braaf naar school gaan. Hij kan zijn moeder niet met nog meer problemen opzadelen en zolang hij geen goed alternatief heeft, hoeft hij zich geen illusies te maken over de reactie van zijn vader. En nu? Zijn moeder betrekt hem bij haar verdriet en ze praten over Tim, dat is ook wat waard.

Hij kan zich niet goed herinneren wanneer hij voor het laatst echt praatte met een van zijn ouders. Ze leven langs elkaar heen. Dat was altijd al zo: ieder voor zich. En daar voelt hij zich vaak eenzaam door.

# 13

'Ben ik hier nu als een vriendin van jou of als Tims vriendin?' vraagt Eline aan Frank. Ze zijn samen op Franks kamer, Eline is voor het eerst bij Tim thuis. Tegen Frank had ze gezegd dat ze graag het huis wilde zien waar Tim heeft gewoond. Eindelijk is ze er. Het huis ligt achter de bloemenzaak en wat haar het meest opvalt, is dat het zo netjes is. Er zijn zelfs geen vuile kopjes. Op Franks kamer is het gelukkig wel een puinhoop.

Maar eerst zijn ze naar de winkel gegaan en heeft ze even met Tims ouders gepraat, onwennig en verlegen. Daarna gingen ze naar boven en nieuwsgierig keek Eline naar de dichte deuren op de gang. Achter welke deur was Tims kamer?

Frank heeft een stapel cd's, boeken en tijdschriften uit zijn stoel gepakt zodat Eline kon zitten. Als ze haar vraag stelt, gaat er onverwacht een steek van jaloezie door Frank. *Vreemd*, denkt hij, *ik dacht dat ik ervan af was nu Tim er niet meer is.*

'Doet dat er iets toe?' vraagt hij. 'Als allebei, denk ik.'
Blijkbaar beschouwt Eline zich ook als zijn vriendin. Dat is beter. Veel beter dan hij had kunnen denken.

'Leuke kamer heb je,' zegt Eline.
'Kijk maar even rond, ik ga thee halen.'
Even later is hij terug met thee en appeltaart.

'Hier! Mijn moeder heeft een taart gebakken, speciaal omdat jij kwam,' zegt Frank. Dan schiet een herinnering naar boven. Hij grinnikt. 'Toen Tim jarig was, wou hij zelf een appeltaart bakken. Nou, alles ging mis. De buitenkant was zo hard dat je je tanden erop brak en de onderkant zat aan de bodem vastgeplakt. En iedereen riep om het hardst hoe lekker hij was.'

Eline lacht. 'Jullie moeten toch veel aan elkaar gehad hebben, jullie schelen zo weinig in leeftijd. Mijn zusje is vijf jaar jonger en daar heb ik niet veel aan.'

'Ja, vroeger speelden we veel samen. We zouden altijd vriendjes blijven, beloofden we dan aan elkaar. Later... werd het minder, maar we zijn wel altijd maatjes gebleven. We deden veel dingen samen: in de garage aan mijn scooter prutsen, skeeleren, dat soort dingen. Maar...'

'Wat maar?'

'We hadden natuurlijk ook veel ruzie.'

'Waarover?'

'Vooral over meisjes.'

'O ja? Vertel eens?'

Frank aarzelt en Eline zegt gauw: 'Laat maar, als je het niet wilt vertellen.'

Zal hij vertellen over Suzanne op wie hij verliefd was? Nadat hij haar mee naar huis had genomen, had ze ineens meer belangstelling voor Tim, die nou eenmaal vlotter met meisjes was. Bovendien kon Tim moppen vertellen en hij niet. Het was niet de enige keer dat hij van zijn broer verloor. Mirjam had hij nooit mee naar huis genomen, maar toen Tim op school een keer bij hen was komen zitten, was het dus bekeken: Mirjam deed daarna zo koel tegen hem dat hij haar maar opgaf.

Woedend was hij op Tim, die alleen maar achteloos zijn schouders had opgehaald. *Ik deed toch niks verkeerd, ik wou alleen maar dag zeggen,* schenen zijn ogen uit te drukken. En ja, hij deed niets wat je hem kon verwijten. Tim kon er niks aan doen dat hij, Frank, onzeker was. Linda was de enige die niet onder de indruk was van Tim. Met haar had hij dan ook een tijdje verkering gehad.

Dat kan hij Eline toch niet allemaal vertellen?

'Over meisjes,' zegt hij uiteindelijk nog een keer. 'We waren een paar keer verliefd op hetzelfde meisje.'

Die nacht in het ziekenhuis, toen hij waakte bij Tims bed, is er een moment geweest dat hij iets vreselijks dacht. *Als Tim doodgaat, kan hij geen meisjes meer van mij afpakken! Die meiden kunnen niet meer vergelijken.* Na een acute aanval van schuldgevoelens heeft hij die inval gauw weggestopt bij de verboden gedachten. Terwijl hij naar Tims meisje kijkt, gaat er weer zo'n verboden gedachte door hem heen.

Gauw een ander onderwerp! De eerste de beste vraag die in hem opkomt...

'Waarom hebben jullie eigenlijk niks gezegd toen jullie verkering hadden?'

'We wilden het nog een poosje geheimhouden,' antwoordt Eline. 'Het maakte onze verkering specialer in onze ogen en het kwam me wel goed uit, moet ik eerlijk bekennen, want Tim leek het soort jongen waarvan ik niks moest hebben. Mijn vriendinnen zouden het niet van me begrijpen, maar die kenden Tim niet zoals ik hem kende.'

'Hij had gigantisch op zijn kop gehad, weet je dat wel?' vroeg Frank.

'Nee, waarvoor?'

'Nou, hij besteedde veel te veel tijd aan zijn vriendinnen. Pa had hem verboden met nog een meisje thuis te komen voor het einde van het schooljaar, want hij stond er niet goed voor met verschillende vakken en hij deed de derde voor de tweede keer. Hij deed nooit wat als hij verliefd was en dat was hij nogal eens.'

Dan was Tims argument nog niets te zeggen over hun verkering niet helemaal zuiver geweest! Eline duwt haar haar achter haar oren en kijkt Frank geschrokken aan.

Het blauw van haar ogen is mooi blauw, ziet Frank. Dan zegt hij: 'Tim had altijd meiden achter zich aan lopen.' Hij heeft het nog niet gezegd of Frank bijt op zijn lip. *Waarom zeg ik dit? Nog steeds jaloers op Tim?*

'Maar bij ons was het anders!' protesteert Eline.

'Da's makkelijk gezegd.'

Er valt een stilte. Natuurlijk weet ze best dat Tim verschillende vriendinnetjes had voordat zij hem leerde kennen, toch doet het pijn. Was Tim wel zoals zij zich hem herinnert? Of heeft Frank gelijk? *Kende ik hem te kort?*

In paniek zoekt ze in haar geheugen naar een weerwoord. 'Tim heeft gezegd dat hij voor het eerst echt met iemand kon praten!' Ze kijkt Frank smekend aan.

'Waarover praatten jullie dan?'

'Over... zijn onzekerheid en zijn minderwaardigheidsgevoelens, dat er zulke hoge eisen aan hem werden gesteld en over... dat hij zich vaak zo rot voelde.'

Frank kijkt Eline ongelovig aan. 'Tim?' Hij voelt zich van zijn stuk gebracht. Hij kent Tim toch zeker beter dan

Eline? 'Tim deed altijd heel gemakkelijk over alles... alsof er geen problemen bestonden.'

'Hij voelde zich vaak klote, zoals hij het zelf zei,' zegt Eline, 'maar dan liet hij het misschien niet aan jou merken.'

Frank schudt zijn hoofd. 'Ik ken hem zo anders.' Ligt dat aan hem of lag dat aan Tim? Misschien verzint Eline maar wat.

'We kennen allebei een andere kant van Tim,' zegt Eline.

Frank aarzelt. Ze moet maar naar huis. Hij heeft tijd nodig om hierover na te denken.

'Ik heb nog een heleboel huiswerk,' zegt hij en Eline staat direct op.

Als Eline haar fiets van het slot doet, schiet hem nog iets te binnen. Hij lacht, voelt zich opgelucht dat ze niet zo uit elkaar hoeven.

'O, Eline, ik ben zaterdag jarig. Ik word achttien. Kom je ook? Ik geef geen echt feest, want dat vond mijn moeder niet zo'n goed idee, maar ik mocht wel een paar mensen uitnodigen. Kom maar wanneer je wilt, overdag of 's avonds...'

Eline kijkt hem aan.

'Dan ben ik een volwassen man, kleintje!' laat Frank er plagend op volgen. Hij heeft er behoefte aan zich even de meerdere van Eline te voelen.

'Misschien,' zegt Eline als ze wegfietst.

# 14

Weer terug op zijn kamer zet Frank muziek op.

Er klopt iets niet.

Tim die zich rot voelde, Tim die zich minderwaardig voelde. Waarom dan in godsnaam? Als iemand daar last van had, was hij het wel! Hij zoekt in zijn herinnering naar beelden die uitkomst kunnen bieden, maar hij kan niks vinden. Wel schiet hem te binnen wat Tim op een keer over zijn nieuwste vriendinnetje vertelde: zij is anders, ze kijkt naar binnen.

Heeft Eline dan toch gelijk? Als dat zo zou zijn, dan... dan... dat betekent dat ze Tim in die paar weken beter heeft leren kennen dan hij in zijn hele leven...

Koortsachtig denkt hij na. Heeft Tim misschien op een andere manier aan hem laten weten dat hij problemen had? Het enige wat bovenkomt, is die keer dat Tim met zijn rapport thuiskwam. Het was de eerste keer dat hij in de derde zat en wat hij ook deed, het was niet voor school in ieder geval.

Tim kwam thuis met een rapport met vijf onvoldoendes en met de blauwe band van judo. Achter hem liep een onbekend meisje dat straalde van trots.

'Het is je dus gelukt? Gefeliciteerd, man!' begroette Frank zijn broer.

Tim grijnsde. 'Waarmee? Met dit of met dit?' Hij hield band en rapport onder Franks neus. 'Het zijn er maar vijf: Duits, Nederlands, biologie, aardrijkskunde en muziek. En een acht voor gym!'

Daarna legde hij zijn arm om de schouders van het meisje. 'Dit is Sandy. Ze is mee geweest naar het examen van judo.'

'Hallo,' zei Sandy. 'Hij is goed, hoor!'

'Was hij maar wat beter op school!' zei Frank.

Tim haalde uit, pakte Frank bij zijn trui en deed alsof hij hem met een heupworp op de grond wilde leggen.

'Zijn pa en ma nog in de winkel?' vroeg Tim nadat hij Frank had losgelaten.

Frank knikte. 'Die komen pas na zes uur.'

'Mooi, dan kunnen we dit vieren met een pilsje. Jij ook, Sandy? En jij, Frankie-boy?'

Tim noemde hem vaker zo. Frank haalde drie biertjes en ze gingen in de kamer zitten.

'Waar zit jij op school?' vroeg Frank aan Sandy. Hij kende haar gezicht niet.

'Bij jullie, ik zit in de tweede,' antwoordde ze.

'Maar ik heb dus een probleem,' zei Tim, op zijn rapport wijzend. Hij leek niet erg onder de indruk.

'Ja, dat begrijp ik.'

'Heb jij jouw rapport al binnen?'

'Morgen.'

'Houd het dan voorlopig bij je,' zei Tim. 'Dan heb ik even uitstel.'

'Ik weet wat beters,' zei Frank. 'Als je dat rapport nou aan mij geeft, zet ik pa's poot eronder.'

Tim lachte. 'Die is mooi! Kun je dat?'

'Ik heb een handtekening op mijn kamer liggen, ik dacht dat ik misschien ooit eens een voorbeeld nodig kon hebben.'

Tim proostte met zijn bierflesje naar Frank en zei tegen Sandy: 'Fantastische jongen, die broer van mij.'

'Maar je vader weet toch wel dat je voor de paasvakantie een rapport krijgt?' zei Sandy. 'Vraagt hij daar dan niet naar?'

'Ze hebben het druk in de winkel en zo. Ik zeg wel aan ma dat ik pa heb laten tekenen en aan pa dat ma heeft getekend. Dan noem ik een aangepast rijtje cijfers en ach... dat geloven ze wel.'

'Ze willen zo graag dat we zelfstandig zijn, dat ze ervan uitgaan dat we dat ook zijn,' zei Frank.

'Ze controleren niet zo gauw.'

'Ze gaan ervan uit dat we onze eigen problemen oplossen. Dat doen we dus.'

'En als het kan, moeten we het ver brengen in deze wereld,' zei Tim, 'maar hoe je dat moet doen, zeggen ze er niet bij.'

'Vooral van Tim hebben ze hoge verwachtingen, omdat hij op het vwo zit,' zei Frank tegen Sandy. 'Hij kan het ook wel, maar hij wil niet altijd.'

Tim proostte nog maar eens naar zijn broer: 'Gezondheid, Frankie-boy, jij begrijpt me tenminste.'

Frank lacht. Natuurlijk kwam het later uit van die rapporten. Zijn vader was kwaad en ze kregen allebei straf. Zijn vader was vaker kwaad: over de garage die niet was opgeruimd; over te luide muziek; omdat ze te laat thuis waren gekomen als ze 's avonds in het dorp hadden rondgehangen; omdat Tim dubbelzinnige opmerkingen maakte. Tim kreeg altijd de meeste woede over zich heen. Maar nee, het leek Tim nooit te raken. Frank kan het zich tenminste niet herinneren.

Eline heeft dus geen gelijk.

En hij kan het niet eens meer navragen bij Tim. Want áls ze gelijk heeft, dan...

Eline is erg moe als ze thuiskomt. Ze laat zich op haar bed vallen. Woorden, beelden, emoties schieten als botsautootjes op de kermis kriskras door elkaar.

Tim die zei dat hij zich rot voelde.

Frank wordt achttien en zegt 'kleintje' tegen haar.

Hoe goed kenden Frank en Tim elkaar eigenlijk?

Frank zei ook dat Tim vaak verliefd was geweest... Dat wist ze, maar haar herinneringen kloppen toch wel? Zij was toch bijzonder voor hem...?

En ze houdt nog steeds van hem! Is dat verkeerd? Ze kan er toch niets aan doen?

Haar oma zei het een paar dagen geleden toen ze op bezoek was en toen ze vorige week op paardrijden was, zei een vriendinnetje het ook: 'Is het nou nog niet over? Stel je je niet een beetje aan? Het is al zo lang geleden en het leven gaat door, hoor!' Dat deed pijn en niet zo'n beetje ook.

Elke dag denkt ze aan Tim.

En ze denkt na over de dood.

Ze zou graag eens over dat onderwerp willen praten op

school. Niet over Tim, maar in het algemeen, want dat gebeurt nooit. Na die eerste maandag na Tims begrafenis was het net of de dood niet meer bestond.

Wat gebeurt er met je als je dood bent? Ze hoort wel eens over God praten. Niet door mensen uit haar klas, want die denken daar niet over na, in ieder geval hebben ze het er niet over. Zal je dan God ontmoeten? Ze weet helemaal niet of ze in God gelooft. Maar er moet toch iets zijn? Zal ze misschien... Tim... tegenkomen? Ergens?

Soms stelt ze zich voor hoe haar eigen dood zal zijn. Wie zullen er allemaal komen als zij doodgaat? Hoe verdrietig zal iedereen zijn? Wat zullen ze over haar zeggen? Ineens voelt ze zich schuldig. Ze is soms gewoon nieuwsgierig...

Dan overvalt haar de gedachte waar ze vaker mee worstelt sinds Tim dood is: *Het is onafwendbaar. Iedereen gaat dood. Je weet alleen niet wanneer.*

*Ik ga ook dood,* denkt ze. *Ik ben bang.*

Ze zet muziek aan. Met Tims foto tegen zich aan gedrukt wiegt ze langzaam heen en weer op de muziek. Ze ziet Tim en zichzelf voor zich, ze staan in het donker op haar kamer en kijken naar buiten. 'Heb je er wel eens bij stilgestaan wat het woord "heelal" betekent?' zei hij op een dag. 'Heel het al, het onmetelijke alles. Toen ik dat voor het eerst bedacht, voelde ik me zo nietig. Wat is een mens in dat grote alles? Een stipje. Meer niet. Een eindig stipje in het oneindige alles. Als ik me dat realiseer, heb ik altijd het gevoel dat niets er meer toe doet.' Hij verpestte haar romantische stemming ermee.

Eline zet de muziek harder en draait in het rond, eerst

langzaam en daarna sneller en sneller. Ze legt de foto op haar bed en zet andere muziek op. De volumeknop wordt nog verder opengedraaid. Wild danst ze door haar kamer.

Haar moeder zet de muziek zachter. 'Moet dat nou zo hard?' moppert ze. 'Ik kan mezelf niet eens verstaan en ik zit een verdieping lager nota bene!'

Eline veegt haar haar voor haar gezicht weg en kijkt haar moeder aan.

*Als er een eind is, is er ook een begin.*

'Vertel eens over toen ik geboren werd?' vraagt ze. 'Hoe was dat? Waren jullie blij? Wilden jullie graag kinderen? Deed het pijn?'

Haar moeder lacht. 'Hoe kom je daar nou ineens bij?'

'Zomaar.'

'Kom maar bij me zitten,' zegt haar moeder en samen gaan ze op het bed zitten.

# 15

Eline twijfelt. Zal ze wel of zal ze niet gaan? Elk kwartier stelt ze zichzelf deze vraag en de dag kruipt voorbij zonder dat ze een beslissing kan nemen. Ze loopt haar kamer op en neer, waarbij ze regelmatig naar de foto van Tim kijkt in de hoop een antwoord van zijn zwijgende gezicht af te kunnen lezen, maar hij geeft geen sjoege. Ze loopt naar beneden, doet een spelletje met Marloes, belt met Ilse, doet een boodschap voor haar vader en weet het dan nog niet. Ze leert vast haar schoolexamen voor volgende week, maar kan de gedachte aan Frank niet uit haar hoofd zetten.

Ze wil niet en ze wil wel.

Frank is achttien, maar Frank is ook de broer van Tim.

Dat die opmerking van hem helemaal verkeerd viel, kan hij ook niet helpen. Ze houdt niet van grote mensen, maar Frank is toch niet anders nu hij 'volwassen' is? Bovendien, hij heeft haar niets gedaan. Alleen een rotopmerking gemaakt.

Haar humeur verandert van blauw via paars tot donkerbruin. Dat heeft ze vaker, dat ze haar stemming ervaart als een bepaalde kleur. Als ze zwart heeft bereikt, is ze voor de rest van de dag onbereikbaar. Alleen Tim is het een keer gelukt haar daaruit te trekken.

*Tim. O, Tim!*

*Frank. Tim. Frank. Tim.*

Ze voelt zich soms zo wanhopig, dat ze denkt dat er alleen nog maar bruin en grijs en zwart bestaat...

'Eline! Telefoon!'

Marloes staat onder aan de trap met de telefoon in haar hand te roepen.

Snel loopt ze naar beneden. 'Wie is het?'

'Een jongen,' zegt Marloes. Ze blijft nieuwsgierig staan.

'Met Eline.'

'Hoi, met Frank.'

Alsof een regenboog onverwacht de grijze regenlucht doorbreekt, zo'n gevoel krijgt Eline als ze zijn stem hoort. Ze gaat snel terug naar haar kamer.

'Gefeliciteerd met je verjaardag!' roept ze ondertussen in de hoorn.

'Dank je. Ik vroeg me af of je nog komt. Of was je van plan vanavond te komen? Ik dacht, ik bel maar even, want je zal wel niet in het donker willen fietsen. Ik wil je ook wel komen ophalen of thuisbrengen als je dat wilt.'

'Nee, vanavond kom ik niet.'

'Straks dan nog?' Zijn stem klinkt onzeker.

'Ik weet het niet...'

'Waarom niet?' vraagt Frank.

O, shit, ze wéét het niet. 'Eh... ik voel me niet lekker...' Dat is niet eens gelogen. Haar lijf is ziek en haar kop is depri. Al werd ze net wel blij dat hij belde.

'Alweer? Wat heb je?'

'Dat weet ik niet precies, ik voel me vervelend, het zal wel weer een virus zijn.'

'Je komt dus niet...' constateert Frank.

'Nee.'

'O. Jammer. Nou, tot ziens dan maar en beterschap.'

'Frank!' roept Eline vlug in de hoorn. 'Frank, wat heb je eigenlijk gekregen?'

'Een iPod. Maar ik moet ervandoor.' En Frank verbreekt de verbinding.

Bedroefd kijkt ze naar de telefoon. Hij heeft gelijk, wat moet hij met zo'n stom wijf als zij?

Teleurgesteld loopt Frank naar boven. 'Ze komt niet! Ze komt niet!' kraken de treden van de trap. Op zijn kamer doet hij de dopjes van zijn nieuwe iPod weer in.

Is ze echt ziek? Hij heeft het gevoel dat er wat anders is. Zou ze boos zijn omdat hij haar weggestuurd heeft vorige week? Heeft hij misschien iets verkeerds gezegd over Tim? Hij begrijpt het niet.

Vanmorgen zijn Floris, Richard en Kees geweest en aan het begin van de middag kwam Roelof, die even verderop woont, nog langs. Maar de hele dag al wacht hij op Eline.

Deze verjaardag is zo anders dan vorig jaar…

Toen hij zeventien werd, stond Tim al voor dag en dauw 'Lang zal hij leven' in zijn oor te toeteren. Hij was nog in pyjama en had zich behangen met slingers. In elke hand had hij een vlaggetje en in zijn mond een feesttoeter, waarmee hij hem wakker maakte. Hij kreeg zijn pakje. Frank grinnikt. Een gewoon doosje leek het, maar toen hij het openmaakte, ontplofte een confettibommetje. Zijn kamer zat onder de papiersnippers. Verder kreeg hij allerlei fopartikelen. 'Bij voorkeur te gebruiken op school,' lachte Tim.

Ook zijn moeder was wakker geworden en ze kwam erbij zitten met haar cadeau. Zijn vader was toen allang naar de veiling. Frank weet nog goed hoe vrolijk hij zich voelde door die maffe feestartikelen en de proppen cadeaupapier.

's Avonds hield hij een knalfeest in de garage en Tim was zijn dj. Zijn vrienden hebben het er nog lang over gehad.

Vanmorgen wilde het niet erg lukken met de feeststemming. Zijn ouders waren aan het werk en hij sliep uit omdat het zaterdag was. Natuurlijk kwamen ze wel even feliciteren, maar ook aan zijn ouders kon hij zien dat ze alleen maar met hun gedachten bij Tim waren. Tim, voor wie ze ook op zijn verjaardag 'Lang zal hij leven' hebben gezongen.

Shit. Hij is jarig en hij is boos! En Eline komt niet!

Hij kan niet eens gaan skeeleren, want het stormt. Als er voor zijn neus een bushokje stond, zou hij weer een steen gooien…

Dan is er ineens de herinnering aan die keer dat hij de kamer van Tim overhoop heeft gegooid. Langzaam staat hij op.

Waar is de doos? Hij heeft er niet meer aan gedacht. Zijn hart bonkt als hij naar de kast loopt. Waar heeft hij hem opgeborgen? Hier? Met trillende handen schuift hij zijn spullen aan de kant, waarna de zwartgeverfde doos tevoorschijn komt. Voorzichtig schuift hij hem naar voren en opnieuw schrikt hij van Tims handschrift:

DIT IS PRIVÉ !!!
dus AFBLIJVEN met je vuile poten, FRANK!

Er zit een brok in zijn keel die met een paar keer slikken maar niet weggaat. Frank gaat op zijn bed zitten en kijkt een tijdje naar de doos. Dit is een boodschap van de levende Tim aan hem, zijn broer. Geldt die nu ook nog?

Hier zitten dingen in die Tim bewaard heeft. Geheim. Privé. Niet voor hem bestemd. Maar ook niet voor een ander. Wat moet hij ermee? Zal hij de doos openmaken? De verleiding is groot, maar de agressieve woorden op het deksel met de uitroeptekens van het witte potlood houden hem tegen. Maakt de dood een boodschap ongeldig? Of juist niet, wordt die boodschap er juist sterker van?

De doos is niet zwaar. Als hij ermee schudt, klinkt het alsof er papier of karton in zit. Frank zet hem terug in de kast, zijn spullen propt hij ervoor, zodat de doos niet meer zichtbaar is. Hij gaat op zijn bed zitten en dwars door de kastdeur heen ziet hij de doos. Die kan hij nu niet meer uit zijn hoofd zetten.

Frank doet de kast weer open en pakt voor de tweede keer de doos eruit.

'Ik weet het al,' mompelt hij.

Hij gaat naar de garage en doet de doos in een plastic tas. Nadat hij zijn moeder heeft gezegd dat hij even weggaat, pakt hij zijn helm en zijn scooter en rijdt door de storm naar de stad.

'Eline!'

Nou staat Marloes alweer te roepen. Wat is er nu weer? Kunnen ze haar dan niet met rust laten? Ze legt het boek waar ze niet in las aan de kant en gaat haar kamer uit.

'Ja?'

'Er is een jongen voor je!'

'Ik heb geen zin, zeg maar dat ik ziek ben!'

Even later roept Marloes voor de tweede keer.

Geërgerd doet Eline haar kamerdeur weer open. Nu staat Marloes boven aan de trap.

'Hij heet Frank en hij zegt dat het belangrijk is.'

Eline voelt zich echt beroerd: haar maag voelt vreemd, haar benen lijken wel van kauwgom en ze heeft hoofdpijn.

*Of stel ik me aan?*

'Oké, stuur hem maar naar boven.'

Frank staat in haar kamer. Moet ze hem nou nog zoenen? Ze heeft hem al gefeliciteerd.

'Wat is er zo belangrijk dat je helemaal hierheen komt op je verjaardag?' Ze hoort zelf hoe onaardig het klinkt, maar Frank reageert er niet op. Hij geeft haar de plastic tas.

'Dit.'

'Wat is dat?'

'Een doos. Van Tim. Geheime spullen, privédingen, ik weet niet wat erin zit.'

Als Frank Tims naam noemt, trekt er een rilling door haar heen. Ze haalt de zwarte schoenendoos tevoorschijn. Met een schok herkent ze het handschrift en meteen begrijpt ze waarom Frank de doos niet wil hebben. Nu lijkt alles aan haar te trillen en te bonken: haar knieën, haar handen, haar hoofd en haar hart. Ze kijkt Frank aan.

'Ik kon het niet,' zegt hij.

Eline laat zich op het bed zakken. Frank komt naast haar zitten. Het blijft een tijd stil en die stilte is ongemakkelijk. Dan zet Eline de doos boven op de kast.

'Vind je het goed als ik straks kijk, als ik alleen ben?' vraagt ze onzeker. Dan ploft ze weer op het bed. Frank knikt. Hij gaat iets dichter bij haar zitten.

Ze ziet er zo... Bestaat er een woord voor? Mooi en verdrietig tegelijk? Dat heeft hij vaker bij haar, dat hij haar gezicht zou willen aanraken, omdat ze er triest en bleek en lief uitziet en dan zou hij haar blauwe ogen willen zien glinsteren.

Hij moet het gewoon doen, nu, voordat hij niet meer durft. Frank slaat zijn arm om haar heen.

Eline kruipt direct dicht tegen hem aan. Even blijven ze onbeweeglijk zitten, dan kijkt Eline hem verbaasd aan en voor ze iets kan zeggen, zoent hij haar.

'K... kan dit wel?' vraagt Eline als Frank haar loslaat.

Hij lacht en van dichtbij ziet hij er anders uit dan Tim. Zijn ogen zijn ook anders van kleur. Of toch niet?

'Waarom niet? Als jij het wil en ik het wil...'

Maar vandaag weet ze niks zeker. Toch glijden haar vingers over zijn gezicht en langs zijn mond en daarna zoent zij hem. Ze zitten op het bed met hun rug tegen de muur en praten en zoenen tot Elines ogen glinsteren.

'Zit er geen verjaardagsvisite op je te wachten thuis?' vraagt ze.

Frank kijkt op zijn horloge. 'Help, zit ik al zo lang hier?' Hij staat op en voordat ze Elines kamer uitgaan, zoenen ze elkaar nog een keer lang en heftig.

'Bel je me morgen?' vraagt Frank als hij zijn scooter start.

Hij brengt zijn vingers naar zijn lippen en zwaait naar Eline als hij de straat uitrijdt. Het wordt een triomfantelijke tocht naar huis. Hij heeft van Tim gewonnen.

Op haar kamer draait Eline de foto van Tim met zijn gezicht naar de muur. De doos staat onaangeroerd op de kast.

# Winter

# 16

*Vorig jaar schaatste ik hier nog met Tim.* Frank bindt zijn schaatsen onder. Hij zit op oude kranten die vastgeplakt zitten aan de bevroren grond. Zijn oude gympen zet hij op de wal van de vaart, tussen de andere achtergebleven gympen en schoenen. Als hij gaat staan, kijkt hij genietend om zich heen. Het is prachtig weer: een effen blauwe lucht boven berijpte weilanden, die de zon koud belicht. Het waait minder hard dan gisteren, toen de felle oostenwind door je kleren sneed.

Ook al is het nog vroeg, er zijn heel wat schaatsers op het ijs. Ze schuiven gebogen langs hem heen. Hij beweegt zijn enkels even om te controleren of hij de schaatsen goed heeft ondergebonden: niet te strak en niet te los. Daarna trekt hij zijn handschoenen aan.

Met enkele korte slagen, waarbij hij zijn schaats met kracht naar opzij afzet, maakt hij vaart. Dan worden zijn slagen rustiger en regelmatiger en legt hij zijn handen op zijn rug. Hij glijdt soepel over het ijs dat glad en zwart is, al komen er meer scheuren in, nu de vorst aanhoudt en er meer geschaatst wordt.

Het nieuwe jaar is goed begonnen. Na een grijze, natte en vooral mistroostige decembermaand, die kaal en onfeestelijk voorbij is gegaan, begon januari met vorst. De tweede week van de kerstvakantie heeft hij kunnen schaatsen, al was het niet altijd zulk mooi schaatsweer als nu. Omdat het een tijd echt koud is geweest, met 's nachts temperaturen van min vijftien, is het een dikke ijslaag geworden, waarvan alleen de bovenste laag smolt toen de dooi inviel. Nu het opnieuw is gaan vriezen, was het ijs al na drie dagen betrouwbaar.

Algauw heeft hij het dorp achter zich gelaten en schaatst hij door de weilanden. Dit is heerlijk. Hier geniet hij van. Beter dan school is dit, met een nieuwe ronde schoolexamens, die dan misschien iets beter ging, maar die zijn dikke onvoldoendes van de eerste keer niet genoeg kan compenseren. Beter dan de pauzes op school, als hij Eline voorbij ziet komen met haar bleke, gesloten gezicht. Eline, met wie hij niet durft te praten. Beter dan die huilerige decembermaand waarin je steeds maar moest denken: vorig jaar met Sinterklaas, vorig jaar met kerst, vorig jaar met Oud en Nieuw...

Ach, hij denkt het nog steeds: vorige winter met Tim... Maar hij wil het echt proberen. Hij heeft het zich voorgenomen toen in de nacht van 31 december op 1 januari de klok twaalf keer sloeg en zijn moeder in huilen uitbarstte.

*Ik moet verder, ik wil verder. Zonder Tim.*

Het schaatsen gaat lekker. Door al dat skeeleren heeft hij een ijzeren conditie en ook heeft hij er al heel wat kilometers op het ijs op zitten. Linkerbeen, rechterbeen, linkerbeen, hij kan eindeloos doorgaan en de regelmatige cadans geeft hem rust. Hij voelt zich kiplekker als hij straks moe het ijs afstapt.

Hij lééft! Hij voelt dat hij leeft! Terwijl hij urenlang over het ijs glijdt, zit het besef dat hij leeft in elke cel van zijn lijf.

Tim is dood, maar hij leeft.

Moet hij zich schuldig voelen? Kan hij nou nooit eens iets doen zonder die gedachte, die op het ijs met hem mee lijkt te schaatsen? Het leven is alleen maar moeilijker geworden sinds Tim dood is. En Eline... Niet aan denken nu.

Rechts, links, rechts. Ook zijn moeder lijkt goede voornemens uit te voeren. Na maanden gezwegen te hebben, doet ze sinds een paar weken niets anders dan over Tim praten.

Links, rechts, links.

*Hoe zag hij er ook alweer uit? Hoe klonk zijn stem?*

Frank strekt zijn rug en glijdt, de ijzers naast elkaar, over het ijs. Omdat hij zo plotseling vaart mindert, krijgt hij een duw in zijn rug van een man die bijna tegen hem opbotst.

'Hé, kijk uit.'

Frank merkt het niet. In paniek zoeken zijn gedachten naar plaatjes van Tim, geluiden van Tim. *Ik ben hem kwijt!*

Wanhopig rijdt hij naar de kant. Verderop is een brug, hij moet even ergens tegenaan kunnen leunen. Met slappe benen, die uit het ritme van de regelmatige slagen zijn gehaald, bereikt hij de brug. Erachter is een steigertje, waar hij kan zitten.

*Rustig nou maar. Je weet best hoe Tim eruitziet. Hij lijkt op jou, weet je nog? Donkerblonde krullen, die zelfs als hij net van de kapper kwam, eruitzagen of hij nodig naar de kapper moest. Denk aan een foto. De foto die op Elines kamer staat.* Ook al is hij daar een tijd niet geweest, hij ziet ineens haarscherp de foto van Tim die bij Eline op de kast staat voor zich en de paniek vloeit weg. Is het de kou of de wanhoop die hem doet rillen? *Doorschaatsen Frank, verder rijden jongen, zo word je koud, dat is slecht voor je spieren.* Stijf slaat hij zijn linkerbeen uit en daarna zijn rechterbeen en dan weer links en dan weer rechts. Het duurt even voor hij de slag weer te pakken heeft. Verwonderd bedenkt hij dat hij Tim nog evenveel mist als toen hij net dood was.

Denken aan Tim en denken aan Eline ligt heel dicht bij elkaar. Daarom ging het waarschijnlijk ook mis tussen hen. Hoe kan hij Tim loslaten als hij steeds aan hem herinnerd wordt door Eline?

Eerst waren er wel een paar fijne middagen, meestal bij Eline thuis, waar ze praatten en elkaar zoenden op Elines bed. Maar vanaf het begin waren er dingen die hem dwarszaten als ze samen waren. Het was niet helemaal eerlijk. Als hij Eline in zijn armen hield, was het net een soort revanche op Tim. Toch hield hij echt van Eline en hij vond haar mooi en hij werd er opgewonden van als ze zich tegen hem aan drukte of als hij zelfs maar aan haar dacht, maar Tims beeld schoof er vroeg of laat tussen. Dat riep Eline zelf ook op omdat ze veel over Tim praatte. En zij had blijkbaar last van een soort schuldgevoel: ze vroeg steeds maar of het wel kon wat ze deden. Dat ergerde hem.

Toen kwam die middag dat ze kwaad en niet-begrijpend tegenover elkaar stonden op Franks kamer.

'En nu een ander onderwerp graag!' had hij gezegd. 'We praten steeds over Tim, het lijkt wel alsof we het over niets anders kunnen hebben.'

'We praten niet steeds over Tim,' zei Eline. 'We hadden het net over de kerstvakantie en over school en over jouw ouders...'

'En daarvoor over Tim en nu alweer,' zei Frank geërgerd, 'we komen er steeds weer op uit.'

'Je wilt Tim weg hebben!'

Misschien was dat wel waar! Zo kreeg hij nog geen eerlijke kans. Nu hij met Eline omging, voelde hij zich veel zekerder, maar als zij zei dat hij op Tim leek, was hij net Tims vervanger! 'Je wilt mij niet hebben, je zoekt Tim in mij! Ik ben Tim niet! Ik ben Frank! Hoor je me, Frank ben ik, niet Tim!' Hij schudde haar heen en weer bij haar bovenarmen.

Eline keek hem verschrikt aan.

'Dat is niet waar,' zei ze zacht, terwijl ze zich losmaakte uit zijn greep. Langzaam ging ze verder: 'Het is nu uit tussen ons, Frank. Zo wil ik niet verder.' Daarop draaide ze zich om en ging weg zonder nog iets te zeggen.

Hij heeft haar daarna niet meer gesproken. De kerstvakantie begon en hij wilde verder zonder Tim. En zelfs, als het niet anders kon, zonder Eline.

In de verte komt het oranje doek van een koek-en-zopietent in zicht. Frank houdt in en rijdt naar het tentje, waar hij warme chocolademelk koopt. Met het bekertje in zijn koude handen gaat hij op een bank zitten. De gloeiende drank smaakt hem goed. In de zon en uit de wind is het heerlijk om even te zitten. Hij heeft de melk bijna op als hij iemand zijn naam hoort roepen.

'Hé, Frank!' Floris komt het tentje binnengegleden. 'Zo, deze jongen gaat ook even pauzeren! Dat heeft hij wel verdiend.'

Frank lacht als hij zijn vriend ziet. 'Ben je bang dat je het koud krijgt? Je hebt veel te veel aan, man!'

Floris, dik ingepakt en met zweet op het voorhoofd, kijkt wantrouwend naar het trainingsjack van Frank.

'Het is koud en ik schaats niet zo goed als jij. In plaats van dat je iets zegt over mijn prestaties op het ijs ga je zeuren over mijn kleren. Mooie vriend ben jij.'

Frank lacht weer. 'Heb je dat hele eind zelf geschaatst?'

'Ja, wat dacht je dan? Dat ik met de boot kwam?'

Floris haalt twee chocolademelk. 'Hoe gaat het schaatsen?' vraagt Frank als hij terug is.

'Blaren,' verzucht Floris, terwijl hij een pijnlijk gezicht trekt, 'maar ik begin het toch een beetje te leren, geloof ik. Ik heb in ieder geval wel wat gehad aan die lessen van jou, toen.'

Ze gaan samen verder.

'Lange slagen maken, glij maar een eind door,' geeft Frank nog wat aanwijzingen. 'Goed je gewicht boven je schaats houden en dan je andere been afzetten en strekken! Ja, dat is goed!'

Als ze bij het volgende dorp komen, is het daar een gezellige drukte. Ze blijven een tijd hangen en eten iets warms.

Ze komen jongens van school tegen.

'Hebben jullie het al gehoord?' zegt een van hen. 'Wiegers is plotseling overleden.'

'Wie is dat?' vraagt een ander.

'Nou, je weet wel, van natuurkunde. Hij is vorig jaar gestopt met lesgeven. Zo oud was die man nog niet!' Frank heeft ook nog bij hem in de klas gezeten. Hij wist helemaal niet dat hij ziek was. Dan merkt hij dat de jongens allemaal even naar hem kijken voor ze over wat anders gaan praten.

Een van de jongens vraagt: 'En, hoe is het met jou, Frank? Ben je er al overheen?'

Frank kijkt hem niet-begrijpend aan.

'Ik bedoel dat je broer is overleden,' maakt de jongen zijn vraag duidelijk.

Frank weet zo gauw niet wat hij moet zeggen. Of hij er al 'overheen' is? Alsof je de ziekte van Pfeiffer hebt gehad of gezakt bent voor je rijexamen en daarna zwaar teleurgesteld was! Hij kijkt de jongen beledigd aan en stoot Floris tegen zijn arm. 'Ik wil verder. Ga je mee?'

Direct schaatst hij weg. Verbaasd gaat Floris hem achterna, maar hij kan Frank niet bijhouden.

'Frank! Niet zo snel!'

Maar Frank heeft er flink tempo in en pas later krijgt hij in de gaten dat zijn vriend achterblijft. Hij mindert vaart. Ondertussen vecht hij met zijn drift.

'Jemig,' hijgt Floris als hij eindelijk bij Frank is. 'Wat is er met jou?'

'Heb je gehoord wat die eikel net vroeg? Of ik er al overheen was!'

'Nou en?' vraagt Floris. 'Hij wou gewoon weten hoe het met je ging.'

'Ja, maar dit is niet zomaar iets waar je op een dag over-

heen bent. "Ik werd vanmorgen wakker en toen was ineens mijn verdriet over. Ik ben genezen verklaard." Wat
een klotevraag.'

'Stel je niet zo aan, Frank. Het was aardig bedoeld. Jij
reageert overdreven, sorry dat ik het zeg. En nu we het er
toch over hebben, je hebt het vaak over Tim. Het wordt
tijd dat je hem uit je hoofd zet. Het leven gaat verder,
man!'

Dat komt hard aan. De drift, met moeite onderdrukt,
schiet naar boven.

'Wat weet jij nou van de dood?' bijt hij Floris toe.

'Wát zeg je?' Nu is Floris ook kwaad. 'Weet je het niet
meer? Je hebt niet naar me geluisterd als je het nu niet
meer weet.'

Floris schaatst weg. *Het ziet er niet uit zoals Floris schaatst,*
denkt Frank boos. *Hij staat scheef op zijn schaatsen, zijn ene
been zwiebelt als hij heeft afgezet en hij zit niet diep genoeg.*

Frank draait zich om en schaatst de andere kant op.
Praat hij veel over Tim? Dat is niet waar, dat kan niet waar
zijn, hij had zich toch voorgenomen dat niet meer te doen
en dus... Nou laat Floris hem ook al stikken!

Links, rechts, links, rechts. De slagen zijn kort, snel en
boos.

# 17

Als hij moe en bezweet thuiskomt, zit zijn vader onder-
uitgezakt de krant te lezen. Hij draagt een oude trui en hij
heeft zich niet geschoren. Frank blijft staan, zijn schaatsen
nog in zijn hand, om naar zijn vader te kijken. Hij heeft
een ouwe kop gekregen. 'Hoi, pa,' groet Frank.

Dan pas kijkt zijn vader op. 'Dag, Frank. Lekker geschaatst?'

Het antwoord interesseert hem kennelijk niet, want hij
leest verder.

'Is ma in de winkel?' vraagt Frank.

Zijn vader knikt en slaat een pagina van de krant om.

Frank loopt naar de winkel, waar zijn moeder klanten
helpt.

Als ze Frank ziet, zegt ze: 'Ach Frank, je vader voelt zich
niet erg lekker vandaag, zou jij even wat boodschappen
voor me kunnen doen, want ik kan hier niet weg. Het
lijstje ligt in de keuken.'

Frank zucht, dat is het laatste waar hij zin in heeft. Hij
moet steeds vaker iets doen, wat hem helemaal niet zint.
Hij is moe en hij heeft zin om net als zijn vader onderuit
te zakken en niets anders te doen dan tv-kijken of gamen.
Maar eerst gaat hij douchen. Lekker lang laat hij het hete
water over zijn blote lijf lopen, tot zijn armen en benen
rood kleuren. Daarna trekt hij schone kleren aan. In de

keuken gaat hij op zoek naar iets lekkers en dan voelt hij zich weer wat beter.

Als hij even later de supermarkt uitloopt met zijn rugzak vol boodschappen, staat hij onverwacht tegenover Bram, Tims beste vriend uit het dorp.

*Die is ook nooit meer bij ons thuis geweest,* denkt Frank.

'Hoi, Frank,' groet Bram.

Ze speelden vroeger vaak met elkaars vriendjes. Waren Tims vrienden dan niet ook zijn vrienden? Bram kan toch nog wel eens langskomen?

'Hoi.'

'Hoe is het met je ouders?' vraagt Bram als Frank verder niets zegt.

*Zie je wel, daar heb je het weer.*

'Gaat wel,' antwoordt Frank. 'Mijn pa kwakkelt met zijn gezondheid, maar met mijn moeder gaat het op dit moment wel redelijk. Al geschaatst?'

'Ja, natuurlijk. Doe jij ook mee met de Molentocht?'

'Die is morgen, hè? Ja, ik ga hem schaatsen. Hoe laat is de start?'

'Vanaf tien uur. Nou, ik zie je dan morgen wel. Hoi.'

Bram loopt verder.

Frank heeft zich ingehouden. Is dat nou een prestatie of is het dom van hem, om er niets van te zeggen, dat hij best nog eens langs mag komen, ook al is Tim dood.

Hè, en hij had zo'n goed humeur vanmorgen. Hij kan maar beter proberen alle ellende uit zijn kop te zetten en de knop weer om te draaien. Dan krijgt hij een idee. Hij loopt de supermarkt weer in en doet opnieuw boodschappen. Thuis gaat hij in de keuken aan de slag: hij zal vanavond het eten koken, allemaal lekkere dingen maakt hij klaar. Als zijn moeder straks moe uit de winkel komt, kunnen ze direct aan tafel.

Ze is verrast als ze de mooi gedekte tafel ziet, zelfs met kaarsen erop. Onder het eten praat ze opgewekt over de klanten die in de winkel zijn geweest. Frank en zijn vader praten met haar mee. *Ze vraagt niet hoe mijn dag is geweest*, denkt Frank. *Hoe het schaatsen was.* Zoals ze ook niet meer vraagt naar de rest van de cijfers van zijn schoolexamen. De eerste uitslagen waren reden genoeg: een vijf, een zes en een vijfeneenhalf.

Ze praat en praat. Nu weer over Tim. Steeds over Tim. Al wekenlang.

Het wordt hem aan alle kanten onmogelijk gemaakt om los te komen van Tim. Als zij nou meer belangstelling voor hém had, zou het misschien beter gaan! Hij weet het wel, hij stelt zijn ouders teleur. En al kookt hij een lekkere maaltijd, Tim is de hoofdpersoon hier in huis.

Met een onbeheerste beweging staat hij op, waardoor zijn stoel omvalt. Tegelijkertijd gooit hij zijn vork op tafel en schuift hij zijn nog halfvolle bord van zich af.

'Tim! Tim! Tim! Jij kan het alleen maar over Tim hebben!' Hij smijt de woorden naar zijn moeder, waardoor zijn stem overslaat, zoals toen hij de baard in de keel kreeg. 'Ik ben er ook nog! Kijk naar mij! Ik leef! Tim is dood, begrijp dat dan toch! Tim is er niet meer!'

Vlug gaat Frank de kamer uit, de trap op, naar boven, naar de kamer van Tim.

Daar zit hij op het bed en luistert naar het bonken van zijn hart. *Hij* had dood moeten gaan in plaats van Tim.

Tims kamer is Tims kamer niet meer. Zijn bed staat er en het bureau, de kast en zijn muziekinstallatie, maar de platen hangen niet meer aan de muur en de kast is leeg. Alles is opgeruimd. Weg. Net zo weg als Tim.

Dan moet Frank ineens aan de zwarte doos van Tim denken. *Niet alles van Tim is weg. De inhoud van de doos is er nog. Gelukkig.* Maar Eline heeft de doos. *Shit, waarom heb ik die aan Eline gegeven? Ik wil zien wat erin zit. Maar ik kan er niet meer om vragen, niet nu we boos op elkaar zijn. Ze wil hem vast niet kwijt.*

Ze heeft hem toen wel verteld wat erin zat: foto's, krantenknipsels en teksten die Tim heeft overgeschreven. Ze noemde het een soort dagboek, al die papieren bij elkaar. Heel erg privé dus.

Hij hoort voetstappen op de trap, die naar zijn kamer lopen.

'Frank?' hoort hij zijn vader roepen. Hij houdt zijn mond, laat hij hem maar zoeken. De deur van Tims kamer gaat als laatste open. 'Zit je hier?'

'Ja, is dit verboden gebied of zo?' Het klinkt agressief.

Zijn vader zit zwijgend naast hem. Hij is niet iemand van veel woorden.

'Je hebt gelijk, jongen,' zegt hij uiteindelijk. 'We vergeten soms dat we nóg een zoon hebben.'

Soms? Ze zijn wel vaker vergeten dat ze kinderen hebben, ook toen Tim nog leefde.

'Ik mis hem nog iedere dag,' zegt zijn vader. 'Je moeder ook. Wij allemaal.'

Frank wijst naar de muziekinstallatie. 'Die kunnen we

wel aan Bart geven.' Bart is hun neefje, hij wordt twaalf volgende week.

'Dat is een goed idee,' zegt zijn vader. 'Ik zal het met ma bespreken.' Maar hij gaat niet weg. Samen zitten ze nog een poosje op Tims bed. Soms zijn er geen woorden nodig.

# 18

'Ik begrijp het niet,' zegt Ilse. 'Zet die jongen toch uit je hoofd.'

'Ook al zou ik willen, ik kan het niet. Ik heb heel veel van Tim gehouden.'

'Ja, dat weet ik. Maar je hebt zes weken verkering met hem gehad. Zes weken! En we zijn nu meer dan zes maanden verder! Wat zeg ik? Acht, negen maanden!' Eline kijkt haar vriendin aan. 'Voor mij waren die zes weken net zo lang als... zes maanden. Maar ik vraag mezelf heus ook wel eens af waarom ik er nog steeds mee bezig ben.'

Eline roert suiker door de thee die Ilse haar net heeft voorgezet. Ze zitten samen in de kamer bij Ilse thuis, met hun voeten op de verwarming en kijken uit op de tuin, waar Ilses broertjes een sneeuwpop maken. 'Weet je nog van de excursie?' zegt ze. 'Die wandeling door die kloof? Ik liep achteraan en ging langzamer dan jullie. Op een gegeven moment was ik alleen. Ik kreeg het benauwd. Die hoge, smalle rotswanden maakten dat ik me opgesloten voelde, ik zag niks en ik was de aansluiting bij de rest kwijt en ik raakte in paniek. Zo voel ik me vaak, weet je: alsof ik in een lange, donkere gang zit.' Eline neemt af en toe een slok thee. 'Waarom ben ik nog zo met Tim bezig? Het is al langgeleden, daar heb je gelijk in, en ik kende

hem pas kort. Te kort. Het was te snel voorbij. Maar...
Het gaat niet alleen om Tim, denk ik. Het is... ik heb het
gevoel dat ik niet serieus ben genomen, juist omdat ik nog
maar zo kort met Tim omging. Ik voelde me teleurgesteld
over de reactie van veel volwassenen, alsof ik niet de ruimte heb gekregen Tims dood op mijn manier te verwerken.' Heel even denkt ze na, dan gaat ze verder: 'Ik voel
me in de steek gelaten, vooral door school. Ik neem het
ze nog steeds kwalijk dat ze het op de terugweg pas hebben gezegd. Ik had meer van een klassenleraar als Kasper
verwacht. Gesprekken, steun, weet ik veel. En dan... Tims
ouders... zij hebben me ook buitengesloten.'
'Kun je ze dat verwijten?' vraagt Ilse zacht. 'Zij kenden
je niet, zij hadden hun eigen verdriet.'
'Ik weet het niet... Ik zeg alleen wat ik voel.'
'En Frank?' vraagt Ilse.
'Hij heeft me afgewezen, hij heeft me pijn gedaan.'
'Maar Eline, jij hebt het toch uitgemaakt!'
'Ja, maar hij accepteerde me niet zoals ik was. Tim hoort
bij mij en dat wilde hij niet. Ik had ook het gevoel dat het
niet kon... dat ik Tim verraadde...'
'Eline...'
'Ik weet wat je wil zeggen, maar ik voel het nou een-
maal zo. Je vroeg er toch naar? Het is donker en smal in
die kloof, je ziet niet waar je loopt, je kunt niet vlug en
fluitend naar de uitgang wandelen.'
'Maar die is er wel!' zegt Ilse beslist.
'Ja... maar ik zie hem niet.'
'Je hebt toch een zaklantaarn?'
'Nee, die doet het niet meer.'

'Misschien kun je er een lenen?'

'Er is geen plaats voor meer personen. Ik ben alleen.'

'Wij liepen er toch ook met meer doorheen?' protesteert Ilse. 'Bovendien, kijk eens omhoog, er is altijd een streepje lucht te zien.'

Eline ziet haar bezorgdheid.

'Het wordt tijd dat we weer eens stevig uitgaan,' besluit Ilse. En als Eline niet reageert, zegt ze: 'Wil je nog thee?'

Als ze terugkomt met twee dampende koppen, vraagt ze: 'Zeg eens eerlijk, wat voelde jij voor Frank?'

'Ik geloof dat ik verliefd op hem was,' antwoordt Eline onzeker.

'Jij verliefd?' Ilse lacht. 'Nee hoor, het léék er niet eens op! Toen met Tim straalde je aan alle kanten.'

Wat moet ze daar nou op zeggen? Niks dus. Ze weet het niet meer.

Als hun koppen leeg zijn, springt Ilse op.

'Ga je mee naar buiten? Een grotere sneeuwpop dan die daar maken of anders een stevig sneeuwballengevecht?' Ze wijst naar haar broers. 'Ze schreeuwen erg leuk als je ze inzeept.'

Eline schudt haar hoofd. 'Ik heb geen zin. Ga jij maar.'

'Boos?' vraagt Ilse.

'Nee, ik ben niet boos. Ik blijf gewoon liever binnen.'

Even later verschijnt Ilse voor het raam. Met een dof geluid belandt een sneeuwbal tegen het glas, ter hoogte van haar gezicht. De sneeuw laat een nat spoor achter als hij naar beneden zakt.

Het heeft een voordeel als je verdriet hebt: je kunt je er zo lekker achter verschuilen. Je hebt overal een excuus voor: als je geen zin hebt om te leren, als je een slecht humeur hebt, als je de energie niet hebt jezelf op te peppen en als je niet in de sneeuw wilt spelen. Verdriet is lekker, je kunt in een stoel zitten en je hoeft niets te doen, want je hebt al wat te doen.

*Ik mis Frank.*

*Was ik verliefd op Frank? Ben ik dat nog? Wilde ik eigenlijk Tim toen ik met Frank ging? Ben ik wel eerlijk geweest? Ik weet het niet. Frank heeft me gekwetst toen hij zo tegen me tekeerging. Was dat terecht?*

Als Ilse met natte wanten en met een rood hoofd van de kou weer binnenkomt, zegt Eline: 'Ik ga Frank bellen. Ik wil geen verkering meer met hem, maar ik wil met hem praten.'

Frank leunt tegen de muur in de gang. Eerst Eline en nu Floris aan de telefoon. Of hij even langs kan komen. Waarom bellen ze ineens allemaal tegelijk?

Het is niks voor Floris om eerst te bellen, maar met die sneeuw rijdt hij waarschijnlijk liever niet voor niks naar Franks huis. Het is maar goed dat hij met Eline voor morgen heeft afgesproken.

Drie kwartier later staat Floris op de stoep. Hij stampt de sneeuw van zijn schoenen en trekt ze uit. Met beide handen omklemt hij zijn tenen.

'Koud!' moppert hij.

Met warme chocolademelk installeren ze zich op Franks kamer. 'Sorry dat ik je op het ijs liet staan,' begint Floris. Frank kijkt op. Wat is dit? Hij weet niks te zeggen. Gelukkig gaat Floris verder: 'Je hoeft Tim natuurlijk niet uit je hoofd te zetten, dat kan niet, dat weet ik ook wel, maar je leven is toch groter dan de dood van je broer? Ik was kwaad omdat je deed alsof jij de enige bent die met de dood te maken heeft gehad.'

Frank weet het wel. Floris is de tweede zoon van zijn ouders. Toen hun eerste zoon acht maanden oud was, vond zijn moeder hem dood in zijn bedje. Wiegendood. Floris' moeder is er nooit goed overheen gekomen. Ze werd wel opnieuw zwanger, maar ze was niet zo heel blij met de nieuwe baby, ze bleef verdrietig om het gestorven kind. Daarna wou ze geen kinderen meer. Floris heeft altijd het gevoel gehad dat hij eigenlijk zijn broertje had moeten zijn.

'Je deed wel erg dramatisch,' probeert Frank zich te verdedigen.

'Ja, weet ik, maar ik vond jouw reactie ook té.'

Even kijken ze elkaar aan. Heeft Floris gelijk?

'Ik weet beter dan wie dan ook dat verdriet heel lang doorgaat,' zegt Floris. 'Maar vergeet je vrienden niet. Je bent wel heel erg met jezelf bezig.'

'Sorry.'

'Oké, het is anders dan bij jou, dat weet ik ook wel.'

Frank zet muziek op. Samen luisteren ze ernaar.

# 19

Voorzichtig manoeuvreert Frank zijn scooter door de smeltende sneeuw die het fietspad veranderd heeft in een natte glijbaan waar de bruine smurrie hoog opspat. De sneeuwpret was van korte duur. Het dooit. Alleen de sneeuw die op de weilanden ligt, ziet er nog mooi wit uit. Wat een fantastische rit. En dan straks Eline.

Ze is verlegen, ziet hij als ze opendoet.

'Kom gauw binnen.'

Als hij zijn natte schoenen heeft uitgetrokken, gaat ze voor hem uit de huiskamer in. Hij is zenuwachtig. Eline ook, merkt hij. Gaan ze daarom eerst beneden zitten en met haar ouders erbij koffiedrinken? Zo kan het ijs gebroken worden. Hij lacht in zichzelf om de woordspeling.

Hij kijkt om zich heen. Het is rommelig in de huiskamer, maar gezellig. Het is ondenkbaar dat er bij hem thuis zo veel spullen gewoon op de grond zouden liggen: kranten, speelgoed, boeken, kopjes, een multomap, schoolspullen. In de boekenkast staan behalve boeken allerlei andere spullen: foto's, een stapel post, beeldjes, een koektrommel, dozen met puzzels en dingen die Marloes op school heeft gemaakt. In een hoek naast de tv staat een kandelaar met brandende kaarsen, in een andere hoek verspreidt een schemerlamp zacht licht.

Nadat ze over het ijs en de sneeuw hebben gepraat, vragen Elines ouders hoe het met hem gaat. Eindelijk is er iemand die tegen hem zegt dat het heel normaal is dat hij nog zo veel aan Tim denkt.

'Eigenlijk is alles wat je voelt in zo'n periode dat je de dood van iemand moet verwerken, normaal,' zegt Elines vader. 'Iedereen doet dat op zijn eigen manier. Al neemt dat niet weg dat je de rest in je leven niet moet vergeten: school en je vrienden en sporten of iets anders wat je leuk vindt om te doen.'

Het klinkt wat leraarachtig, wat ze zeggen, maar Frank vindt het niet eens erg.

Dan gaan ze naar haar kamer.

'Het is altijd zo gezellig bij jullie,' zegt Frank als ze boven zijn. 'Lekker rommelig.'

Eline denkt aan de keurig opgeruimde kamer bij Frank thuis en lacht. 'Het heeft ook een keerzijde, hoor! Het is best lastig. Veel dingen lopen hier niet zoals ze moeten lopen.'

'Maar jij hebt tenminste ouders met wie je kunt praten. Ze zijn geïnteresseerd in jou.'

'Ja,' zegt Eline, 'dat is waar. Die van jou zijn anders.'

'Soms denk ik wel eens dat ze mij helemaal niet kennen,' zegt Frank bitter.

Is hij jaloers omdat Eline zulke fijne ouders heeft? Als je ouders met je meeleven en je begrijpen, zul je je vast veel zekerder voelen van jezelf. Hoe zou Tim over hun ouders hebben gedacht? Die heeft vast geen last gehad van hun houding. Hij vond het vast prima dat hij zijn eigen gang kon gaan.

'Ik... wilde je toen... niet verwijten dat je Tim weg wilde hebben,' zegt Eline. 'Maar je had gelijk... ik wou zo graag nog iets van Tim bij me hebben en dat kon door jou... bij jou...'

Het valt haar moeilijk dit te zeggen. Maar het moet, ze wil eerlijk zijn.

Frank kijkt haar aan. Wat voelt hij nog voor haar? Moet hij zeggen dat hij ook uit een soort jaloezie met haar omging en dus ook niet eerlijk is geweest?

'Ik wil geen verkering met je,' gaat Eline verder, 'maar misschien kunnen we gewoon vrienden zijn...?'

'Graag!' zegt Frank.

'Misschien is het moeilijk om anders met elkaar om te gaan.'

'We kunnen het proberen.'

Eline glimlacht. Dan zweeft haar blik weg en Frank kijkt in de richting waarin Eline kijkt. De foto van Tim staat nog steeds op de kast.

'Eline?' vraagt Frank. 'Mag ik eens zien wat er in die doos zit? De doos van Tim? Dat zou ik graag willen.'

'Ja, natuurlijk.'

Ze haalt de doos tevoorschijn en geeft hem aan Frank. Hij probeert zich niet van de wijs te laten brengen door de witte letters op het deksel, dat hij op zijn kop naast zich op het bed legt. Eline gaat aan haar bureau zitten rommelen.

Er liggen krantenknipsels en foto's in de doos. Hij bekijkt ze een voor een.

**STERKE OVERWINNING** staat er boven een verslag van de Nederlandse kampioenschappen judo. Met een fluo-

126

rescerende tekstmarker zijn een paar namen aangestreept. Een krantenartikel over internationale zwemwedstrijden kopt met: **TOPTIJDEN VOOR NEDERLANDSE ZWEMMERS**. Ook hier zijn sommige namen felgekleurd. Verder zijn er recensies van popconcerten van Tims favoriete groepen: Red Hot Chili Peppers, Green Day, Three Doors Down. Tim heeft teksten van hen gedownload en erbij gedaan. Hier, zelfs van Bob Dylan. Hij heeft Tims smaak op het gebied van muziek nooit begrepen; van zo veel verschillende groepen hield hij, net of hij nog niet wist wat hij mooi vond.

Dan pakt Frank een stapeltje foto's uit de doos. Bovenop ligt een foto van Eline.

'Mooi!' zegt hij waarderend, terwijl hij de foto omhooghoudt. Eline kijkt op en zegt: 'Er zitten meer vriendinnetjes in.'

Dat klopt. Frank heeft nog drie meisjes in zijn handen. En dan kijkt hij naar zichzelf.

Het zijn foto's van vroeger en steeds staan ze er samen op: voor het vakantiehuisje in Zeeland, in het weiland achter het dorp, met hun eerste fietsjes, op de slee, een hele serie is het! Van toen ze klein waren totdat Tim een jaar of twaalf was, van daarna zijn er geen foto's meer. Verbaasd kijkt Frank ernaar. Waarom zou Tim die verzameld hebben?

Verder is er een aantal grote multobladjes volgeschreven in Tims puntige handschrift. Het zijn gedichten, ziet Frank verbaasd. Tim die gedichten overschrijft? Dat was toch niks voor hem?

*Hoe diep gaat liefde, is de vraag.*
*Hoe ver voorbij de randen?*
*Tot in mijn ingewanden?*
*Tot hart en lymfeklieren?*
*Tot botten, pezen, spieren?*
*Hou jij ook van mijn nieren?*
*Of gaat de liefde toch misschien*
*alleen tot wat het oog kan zien?*

*Stel dat ik door een ongeval*
*mijn lichaam niet meer voelen zal,*
*aai jij dat lichaam dan nog wel?*
*Of stopt de liefde bliksemsnel?*

Het gaat nog verder, maar Frank leest het volgende blaadje: 'Wat ziet Jan Hanlo in letters?' staat erboven.

a: man met hangbuikje
b: man met dikke opgeblazen buik
c: (onvolmaakte) buik met opening
d: man met dikke buik
e: geen buik, maar de achterkant van een kapot op
   z'n kop staand hangslot
f: lantaarnpaaltje
g: mier (met hangbuikje)
h: vrouw (boerin) met enigszins opstaande buik
i: mannetje met los kopje
j: omgekeerd lantaarnpaaltje met overbodig puntje
k: niks
l: galgje

m: boterham op z'n kant
n: enkel sneetje, maar dikker
o: anus
p: niks
q: niks (nou ja, buik aan een stokje)
r: te klein lantaarnpaaltje, ook te klein galgje
s: slang die sist
t: galgpaaltje (ongeschikt)
u: bakje om de planten water te geven (doorsnede)
v: schapenschaar
w: kut
x: de molen van ome Dirk
y: niks
z: niks, twee neuzen van Escher

In de kantlijn heeft Tim met een andere kleur pen geschreven: 'als dit literatuur is, is school kicken'. Frank grinnikt.
Dan kijkt hij naar de volgende blaadjes, die uit Tims agenda zijn gescheurd. Sommige zijn verkreukeld en er staat niets anders op dan zijn huiswerk voor die dag. Op alle blaadjes is de datum omcirkeld. Zouden dat speciale dagen voor Tim zijn geweest? Op een paar staan zinnetjes geschreven.

*ik brom naar jou*
*mijn band is lek*
*jij bent lekker*
*ik ben gekker*
*ik doe 't zelfs lopend*
*tim*

Of:

*iet wiet waait, is eerlijk weg*
*iet weed waait weg*
*dág wereld*
*tim*

Zou hij dat zelf geschreven hebben? Dat moet wel. Maf-
ketel! Er zijn nog meer teksten, die heel anders zijn. Franks
ogen vliegen over de woorden. Hij geeft zichzelf niet de
tijd alles te lezen.

*Mensen doen alsof. Bestaan in ijskoude,*
*denken, denken, denken dat ze bestaan.*
*Geen mensként een mens. Men wil zich vasthouden.*
*Angst laat niet los. Men kijkt zijn spiegel aan.*

*En ik ben eenzelfde. Maar leg mij bloot,*
*omdat ik zien wil wie ik toch nog ben.*
*Ik moet toch een mens zijn die ik herken.*

Frank schrikt. Heeft Tim dit ook uitgezocht?
Hij leest verder. Er zijn meer fragmenten van gedichten die over hetzelfde gaan: eenzaamheid, je somber voelen, het niet zien zitten, zoeken naar de zin van het leven. Frank leest en herleest en doet zijn best het te
begrijpen. Ondanks alles lacht hij om zichzelf: hij zit gedichten te lezen! Dat past net zo slecht bij hem als bij
Tim. Tenminste...

*...ik weet niet meer waarom*
*ik weet niet meer waartoe*
*zomaar en nergens om*

Het staat er echt. Dat fragment is onderstreept.

Frank kijkt naar Eline. Ze zit achter haar bureau en leest. Hij bekijkt nog eens de teksten en ziet dat er steeds een datum boven staat. Hij rekent en ontdekt dat de meeste teksten overgeschreven zijn in de tijd dat Tim voor de eerste keer in de derde zat. Hij bladert terug naar de agendablaadjes. Ook die zijn van de derde aan het huiswerk en aan de vakken te zien, maar of die van het laatste jaar zijn of van de eerste keer dat Tim in de derde zat, kan hij zo niet zien. En hij dacht dat Tim aan het flierefluiten was! Hij was stikjaloers dat Tim er met de pet naar gooide en leuke dingen deed en veel tijd besteedde aan zijn judotraining, terwijl hijzelf voor zijn eindexamen van het vmbo zat en keihard moest blokken... Ze hadden veel ruzie, toen, dat herinnert hij zich goed, vaak over onbenullige dingen zoals wie het eerst mocht douchen of om het laatste pilsje. Ja, Tim was vaak chagrijnig. Waarom heeft hij zich toen nooit afgevraagd waarom? Het kwam gewoon niet in hem op. Tim vroeg dat tenslotte ook nooit aan hem.

Dat was dus dezelfde periode waarin Tim deze teksten overschreef. Dit is dus de andere Tim. Waarom wist hij niet dat deze Tim bestond?

Onder in de doos zit het rapport waar Frank een vervalste handtekening onder heeft gezet. Grinnikend kijkt hij ernaar. Best goed gedaan! Er blijkt nog iets in de doos te zitten, onder het rapport ligt een fotolijstje met een oude ansichtkaart. Een Harley-Davidson! Wauw, dat is een mooie kaart. Het verbaast hem niet dat Tim die heeft ingelijst, al is het glas gebarsten.

'Je had gelijk,' zegt Frank na een poos tegen Eline. 'We kenden elk een andere kant van Tim.' Het doet pijn dat hij deze Tim nooit heeft gekend. Wat stond er? *Geen mens ként een mens...* 'Waarom heeft hij me dit nooit verteld?' vraagt hij, terwijl hij een grote armbeweging maakt.

'Ik weet het niet,' zegt Eline. 'Jij kende Tim niet zo en hij wist van jou niet dat je het zou begrijpen. Hij vond jou oppervlakkig, heeft hij mij een keer verteld. Maar dat is niet waar. Zo ben je helemaal niet! Misschien kende hij jou ook niet zo goed...'

Frank kijkt naar haar lippen.

'Maar er zitten niet voor niks foto's van jou en Tim samen in die doos,' gaat Eline verder. 'Dat is ook belangrijk.'

Frank knikt. 'Bedankt, Eline.'

# Lente

## 20

*Wachten duurt altijd lang,* denkt Eline terwijl ze haar gewicht van de ene voet naar de andere verplaatst. Het is ongewoon stil en leeg om haar heen, want ze hebben alle gangen waar de mondelinge schoolexamens zijn, afgesloten. Bij elke deur staan twee stoelen, het volgende slachtoffer zit nog gauw iets na te lezen.

Hoe zou het gaan? In haar maag voelt Eline plaatsvervangende zenuwen, omdat Frank binnen zit voor zijn mondeling Nederlands. Nog vijf minuten. *Zet hem op, Frank, je kúnt het.*

Ze zou eerst op het schoolplein wachten, maar daar hield ze het niet meer uit. Ze wilde dichterbij zijn, morele steun verlenen dwars door die dichte deur heen. Ze rilt, het is een beetje koud in de gang. Wat dat betreft had ze beter buiten kunnen blijven: het is heerlijk voorjaarsweer.

Ze heeft ertegen opgezien dat het weer lente werd. Natuurlijk was ze blij met het warmere weer, met de krokussen en met de nieuwe blaadjes aan de bomen, maar haar gedachten gaan zo vaak terug naar vorig jaar.

*Vorig jaar om deze tijd viel Tim me ineens op toen hij langs me liep. Vorig jaar om deze tijd werd ik verliefd op Tim. Precies een jaar geleden liep ik hem achterna naar de sloot achter de school.*

De data zitten in haar hoofd gebeiteld. *Vanmorgen vertelde mijn agenda dat het precies een jaar geleden is dat we verke-*

*ring kregen. De komende weken, tot aan de dag dat het een jaar geleden is dat hij stierf, zal ik aan hem denken.*

Dan komt er een idee in haar op.

Zou dat kunnen...?

Floris komt aanlopen en onderbreekt haar gedachten.

'Nog niet klaar?' vraagt hij, terwijl hij met zijn hoofd naar het lokaal knikt.

'Nee, het loopt uit,' antwoordt ze.

'Als dat dan maar in zijn voordeel is,' zegt Floris.

Ze hebben het vorige maand afgesproken, toen ze ineens allemaal de zenuwen kregen van het examen, dat zo griezelig dichtbij kwam. Je kunt je er heel lang achter verschuilen dat het nog zo lang duurt, heeft Eline gemerkt. Dan denk je dat je nog alle tijd hebt, maar je houdt jezelf voor de gek. Dus toen zijn ze als een stel idioten gaan werken. Elke middag zaten ze tot vijf uur in de studieruimte: Frank, Floris, Ilse en zij. Frank kreeg het regelmatig op zijn heupen, want hij stond er het slechtst voor.

Dan gaat eindelijk de deur open en Frank komt met een rood hoofd naar buiten.

'Pffff, hè, hè, dat zit erop.'

'Hoe ging het?' vragen Eline en Floris tegelijk.

Frank haalt zijn schouders op. 'Ik weet niet...' zegt hij aarzelend. 'Ik vond het erg moeilijk. Die vent vroeg allemaal dingen die we helemaal niet hadden gehad! Op een gegeven moment haalde ik alles door elkaar... Maar sommige boeken gingen wel aardig... dacht ik...' Hij kijkt hen aan. 'Het is vast onvoldoende. Maar hij heeft gelukkig niks over Mulisch gevraagd. Dat heb ik vannacht nog gelezen, maar voor ik hem uit had, viel ik in slaap.'

Gespannen wachten ze af. Dan verschijnt de leraar Nederlands, die geruststellend knikt.

'Reken maar op een zesje, Frank,' zegt hij. 'Je kennis van de literatuurgeschiedenis was onvoldoende, maar de boeken gingen redelijk: je had een duidelijke eigen mening die je goed kon verwoorden en dat kan ik waarderen. Vanmiddag hang ik een lijstje met de definitieve cijfers op het prikbord.'

Samen gaan ze naar de kantine. Frank voelt zich opgelucht. Dat zit erop. Voor de rest van zijn schoolexamens is hij minder bang. Die goeie Floris heeft hem aan het werk gezet de afgelopen weken, hij moet en hij zal slagen!

Even later zitten ze met koffie en koek zijn zes te vieren.

'Ik heb een neef,' zegt Floris, 'en die haalde alleen maar zessen op zijn examen. Moet je voorstellen… voor alle vakken… en hij deed…'

Frank luistert niet. Hij kijkt langs Floris heen. *Er is een hoop veranderd. Ik ben gemotiveerd met school bezig en ik weet eindelijk wat ik wil. De hogere landbouwschool lijkt me echt leuk. Sinds mijn uitbarsting thuis krijg ik meer aandacht. Ik kon met ze praten over mijn keus. Ik voel me beter…*

'Heb ik jullie al verteld dat ik…' begint Frank. 'O, sorry.' Hij praat dwars door een zin van Eline.

'Zeg het maar,' zegt Eline als ze haar zin heeft afgemaakt.

'Ik heb toch verteld dat ik tussen het leren door in de tuin aan het werk ben? Pa en ma waren hun grasveldje en de bloemperken zat. Ik mag naar eigen inzicht herinrichten.'

Eline en Floris knikken.

'Nu ben ik ook aan een houten tuinbank begonnen, verjaardagscadeau voor ma!'

'En wanneer is ze jarig?' zegt Floris. 'Na het examen, hoop ik?'

Eline knijpt even in zijn hand. Het geeft hem een goed gevoel.

*Spitten en timmeren is een prima remedie als ik boos ben. Het verdriet om Tim blijft bestaan en nog altijd duiken onverwacht herinneringen aan hem op, maar het brengt mij niet meer zo van de wijs. Het heeft een plek in mijn leven gekregen. En... ik heb geleerd dat het leven niet alleen maar 'leuk' is.*

Floris stoot hem aan.

'Waar zit jij steeds met je gedachten?' vraagt hij. 'Ik zei dat ik ervandoor moet. Het is mijn beurt!'

Frank schrikt op. Dat is ook zo! Floris heeft nu Duits.

'Hé, zet hem op! We duimen voor je!'

Met Eline blijft hij achter. Zij is speciaal voor hem vroeger naar school gekomen, want zij heeft vanmiddag pas haar eerste mondeling.

Hij kijkt haar aan. Wat een lieve meid. Hij heeft haar heel erg leren waarderen. Gelukkig is het goed gegaan: ze lijkt nu meer een zusje dan een vriendin. En een zusje kan hij heel goed gebruiken nu hij geen broer meer heeft.

Alleen moet hij haar nog steeds over Marleen vertellen, waar hij een beetje tegen opziet. Misschien moet hij het nu doen, hij voelt zich nu zeker van zichzelf.

'Eline, ik moet je iets vertellen.' Binnen in hem kriebelt toch iets. Hij wil haar geen pijn doen.

'Wat klinkt dat ernstig,' zegt Eline. 'Nou, kom maar op!'

'Ik eh... er zit iemand bij me in de klas met een paar vakken, met Engels... en met geschiedenis en maatschappijleer en...' Nou, dat doet er dus niks toe! Frank gaat verder: 'Ik kan het heel goed met haar vinden en… het is dus een meisje en…'

Eline begint te lachen. 'O, Frank! Zeg nou maar meteen dat je verliefd bent!'

Is dat zo gemakkelijk te raden? 'Eh… ja.'

'Wat leuk! Hoe heet ze?'

Neemt Eline dat zo gemakkelijk op?

'Ze heet Marleen en ze zit dus bij mij in de klas en… nou ja, ik vind haar heel leuk.'

'Hoe ziet ze eruit?'

'Kort donker haar, ze is nogal klein, ze heeft heel donkere ogen, heel mooi is ze en heel lief.' Bijna net zo lief als jij, zou hij willen zeggen, maar dat kan niet, want wat hij voor Eline voelt, is anders.

Eline lacht. Ze is blij voor hem. Het bleef altijd aan haar knagen dat ze hem afgewezen had.

Frank glimt helemaal als hij over Marleen vertelt. 'Maar er is nog niet veel gebeurd hoor,' zegt hij, 'hoewel ze mij ook aardig vindt, dat weet ik zeker. Ze kijkt steeds naar me en we praten veel en met maatschappijleer hebben we samen een werkstuk gemaakt en we kunnen het gewoon heel goed samen vinden… Je vindt het niet erg?'

'Welnee!' lacht Eline. Een blij gevoel stroomt door haar heen als ze naar het gezicht van Frank kijkt: hij ziet het weer zitten.

'Ik wil jou ook wat vertellen,' zegt ze. 'Ik zat ergens aan te denken toen ik net op je stond te wachten. Ik wil graag weten wat je ervan vindt. Het is nog maar een idee, dan kunnen we het verder samen uitwerken, als je ervoor voelt tenminste.'

# 21

Ze heeft er heel erg tegen opgezien, maar nu het bijna zover is, is Eline blij dat ze heeft doorgezet. Samen met Frank, Roy en Arjen heeft ze het georganiseerd. Ze heeft veel moeten praten voor ze toestemming kregen, maar dat heeft haar goedgedaan.

Vandaag is het 22 mei en is het precies een jaar geleden dat Tim doodging. Ze willen Tim herdenken, een jaar na zijn dood, hier, op school. Het grootste probleem was de datum: ze zitten midden in hun examens. De directeur had er gelukkig begrip voor dat dit niet iets is wat je gemakkelijk uit kunt stellen naar een ander moment en gaf toestemming, maar dan wel na vijf uur, als het examen van die middag erop zat.

Gelukkig hebben Frank en zij allebei geen examen 's middags en hebben ze alle tijd om de kantine in te richten zoals zij willen.

Eline kijkt om zich heen. Op het podium staat een tafel met aan beide kanten van de microfoon een grote vaas met bloemen. In het midden hebben ze een map met blaadjes gelegd, voor wie iets wil opschrijven voor of over Tim.

Rechts van die tafel staat een kleinere, die ze vol hebben gezet met waxinelichtjes. Links ervan staat een vitrinekast waarin normaal werkstukken van handenarbeid worden uitgestald. Nu staat Tims foto erin, naast hoesjes van de cd's waar ze straks een nummer van zullen laten horen, zijn judopak en een paar van Tims teksten.

De tafels en stoelen hebben ze in groepjes gezet. Overal staan een kaars en een bosje bloemen op tafel. Ze hebben alle vierde klassen gevraagd. En omdat Tim in de derde is blijven zitten, hebben ze ook de mensen die nu in 5-vwo zitten, uitgenodigd. Verder alle belangstellende leraren en ook Tims ouders. Frank heeft gezegd dat ze zullen komen.

Roy oefent het lied dat hij straks zal zingen. Eline steekt de kaarsen op de tafels aan. Frank doet een deel van de gordijnen dicht om het zonlicht te temperen en legt de boekjes met teksten op de tafels.

Het is bijna tijd. De eersten komen binnen. Eline gaat naar ze toe en vraagt ze allemaal één lichtje aan te steken.

Arjen zorgt ervoor dat Tims favoriete muziek gedraaid wordt, de ene groep afgewisseld met de andere. Steeds meer lichtjes worden aangestoken. Franks ouders komen en Frank brengt ze naar het voorste tafeltje. Bram is met hen meegekomen; al zit hij op een andere school, Frank wilde hem er ook bij hebben. Er komen verschillende leraren binnen. Gespannen kijkt Eline naar de deur. Zal Kasper van de Ploeg komen? Ze heeft buikpijn van de zenuwen.

Degenen die net examen biologie hebben gedaan, zijn er nu ook. Ze praten te luid en hebben een rode kleur op hun wangen. Ook Marleen, de nieuwe vriendin van Frank, komt binnen en gaat naar hem op zoek. Eline moet waxinelichtjes erbij zetten, zo veel mensen zijn er. Kasper en

Astrid komen binnen en dan is het kwart over vijf. Het lijkt erop dat iedereen er is. Eline gaat samen met Frank bij zijn ouders zitten. De directeur zegt eerst een paar woorden om namens de school iedereen te begroeten. Dan roept hij Eline naar voren. Ze kijkt even naar de tafel met al die brandende kaarsjes en dan kijkt ze Frank aan, die naast haar zit. Hij knikt haar toe: ga maar.

Met zware benen, alsof ze door een laag zand heen moet, loopt ze naar voren, hopend dat haar stem het niet zal begeven. Achter de tafel haalt ze het papier met haar toespraak tevoorschijn. Als ze het openvouwt, is het kraken hoorbaar door de microfoon. Intussen kijkt ze de kantine in, waar de gezichten die naar haar opkijken haar nog nerveuzer maken.

'Vorig jaar op 22 mei stierf Tim Halbesma. Dat is vandaag een jaar geleden. Hij kreeg een ongeluk met zijn scooter op de avond voordat wij, derdeklassers, met excursie zouden gaan.' Haar stem, die versterkt de zaal inglijdt, klinkt als die van een ander.

'Ik had verkering met Tim, al wisten maar weinig mensen dat. We kenden elkaar nog niet zo lang, zes weken om precies te zijn, maar voor ons waren die weken belangrijk. Voor elkaar waren wij belangrijk. De avond voor de excursie kwam Tim nog even bij me langs, op de terugweg naar huis is hij waarschijnlijk geslipt en tegen een boom gereden. We zaten allemaal al in de bus toen de school het bericht kreeg dat hij dood was. In de bus van Tims klas hebben ze het direct verteld. Wie wilde, kon thuisblijven. Maar iedereen ging mee en samen hebben ze de schok van Tims plotselinge dood opgevangen en verwerkt.'

Eline moet iets wegslikken voor ze verder kan vertellen. 'Bij ons in de bus hebben ze het pas op de terugweg verteld. En omdat we onze mobiele telefoons moesten inleveren, is het nieuws ook niet eerder op een andere manier tot ons doorgedrongen. Daar heb ik het heel moeilijk mee gehad. Ze hebben gezwegen terwijl wij lol maakten en ons naar huis gestuurd met het droevige bericht.' Weer moet ze slikken. 'Maandag op school mochten we een uur praten, er werd een dag lang de ruimte gegeven voor onze emoties en daarna werd overgegaan tot de orde van de dag. Het leven gaat verder, de lessen ook, we moesten wel. Dat laatste begrijp ik goed, maar ook al gaat het leven verder, zo snel kun je je verdriet niet verwerken.'

Eline kijkt de zaal in, ze hoort zelf dat haar stem trilt. 'Daarom wilden wij vandaag... hier... met elkaar... terugdenken aan Tim.' Ze kijkt even in de richting van de directeur. 'Ik ben de school dankbaar dat jullie ons daarvoor de tijd en de ruimte gegeven hebben.'

Dan richt ze zich weer tot de luisterende mensen. 'Niet iedereen kende Tim even goed, daar ben ik het afgelopen jaar wel achter gekomen. De meesten van jullie zullen zich hem herinneren als een vrolijke, stoere knul die altijd in was voor een geintje. De leraren zullen zich hem ook herinneren als een leerling met een grote mond, zo een die knap lastig kan zijn in de klas. Maar hij had een andere kant, die hij niet aan mensen liet zien. Er bestond ook een onzekere Tim. Een Tim die piekerde over zichzelf en over de wereld om hem heen. Hij schreef teksten over van liedjes en gedichten, waarin je kunt lezen waar hij mee bezig was. Ook schreef hij zelf teksten, gedichten of hoe je het noemen wilt. In al die teksten herken je beide kanten van Tim. We hebben van een paar een boekje gemaakt, dat voor jullie op tafel ligt. Het boekje heet: "Her-kennen", voor wie Tim opnieuw wil leren kennen en in de hoop dat jullie hem herkennen. Zijn broer Frank en Tims vrienden zullen iets voorlezen.'

Eline maakt plaats voor Frank. Als ze elkaar voor het podium passeren, glimlacht hij naar haar. Het is goed wat ze verteld heeft!

Hij leest een tekst voor. Daarna lezen Arjen, Sandy en nog een paar iets voor. Het is fijn dat er gelachen wordt als Sandy Tims eigen tekstjes leest. Tussendoor laat Arjen muziek horen. Tot slot komt Roy naar voren, met zijn gitaar in de hand. Het is heel stil als hij een lied zingt, waarvan Eline de woorden niet kan verstaan. Maar als ze naar zijn expressieve donkere gezicht kijkt en naar de melodie luistert, begrijpt ze dat hij uiting geeft aan zijn verdriet. Nu is het eindelijk het verdriet van iedereen.

Even blijft de stilte hangen als de snaren uitgetrild zijn, dan begint iedereen te klappen. Eline kijkt naar Tims moeder, die haar lippen stijf op elkaar heeft geknepen. Zijn vader houdt haar hand vast. Frank staart naar de grond. Aan de andere kant van Frank zit Marleen, die haar hand op Franks arm heeft gelegd. Is Eline toch een beetje jaloers? Ze slikt.

Als het weer stil is, nodigt Roy iedereen uit een kop

koffie te drinken en bedankt hij alle mensen dat ze zijn gekomen.

Eline haalt koffie voor Frank en zijn ouders.

'Dank je wel,' zegt Tims moeder en ze laat erop volgen: 'En ook bedankt voor... dit... Ik wist niet... Het doet me goed als ik zie hoeveel jonge mensen gekomen zijn... om Tim... onze Tim...' Ze veegt met haar zakdoek langs haar ogen. In een opwelling buigt Eline zich voorover en zoent Tims moeder op haar wang. Dan komen een paar leraren op Tims ouders af en gaat Eline op zoek naar Ilse.

'Ik voel me opgelucht. Ik ben het kwijt,' zegt ze als ze een poosje naast Ilse heeft gezeten, hun armen om elkaar heen.

Frank kijkt rond. Iedereen wil met hem praten. Hij komt tijd te kort. In een flits gaat het door hem heen dat het wel eens anders is geweest. Velen hebben zo lang niks tegen hem gezegd over Tims dood, dat hij zich wel eens in de kou voelde staan. *Mensen kunnen er niet altijd goed mee omgaan*, denkt hij. *En dan zwijgen ze maar. Of ze zeggen stomme dingen.*

Bram staat voor de vitrinekast. Frank gaat naar hem toe. 'We willen ook hiermee de verschillende kanten van Tim laten zien,' zegt hij.

Hij ziet dat Bram met zijn ogen knippert als hij zegt: 'We zaten samen op judo, al die jaren hebben we samen geoefend en nou heb ik de zwarte band en hij niet.'

Frank vraagt, op een van de teksten wijzend: 'Wist jij dat van Tim, dat hij zulke buien had?'

Bram schudt zijn hoofd. 'Nee.'

Frank knikt. Gelukkig dat zelfs zijn oudste vriend uit het dorp Tim maar half kende.

Ineens staat Kasper van de Ploeg voor Eline.

'Eline? Kan ik even met je praten?'

Haar keel wordt dichtgeknepen, maar haar knieën trillen niet. 'Ja,' zegt ze.

Kasper wijst naar een tafeltje aan de zijkant. 'Zullen we daar even gaan zitten?'

Als hij tegenover haar zit, kucht hij voordat hij wat zegt. Hij is degene die onzeker is!

'Ik vind het een goed idee van jullie,' begint Kasper, 'om deze bijeenkomst te houden en ik geloof dat ik mijn verontschuldigingen moet aanbieden, Eline.' Het lijkt of hij naar woorden moet zoeken en Eline kijkt hem afwachtend aan.

'We hebben toen de beslissing genomen jullie pas op de terugweg te vertellen wat er met Tim was gebeurd. En eh... ik wist niet wat dat voor jou betekend heeft. Ik... wij wisten niet dat iemand in onze bus zo nauw contact had met Tim. Hij zat op een andere afdeling en dan ga je er al snel van uit dat jullie elkaar niet zo goed kenden.'

*Te snel,* denkt Eline, *jullie gaan vaak te snel uit van veronderstellingen over hoe wij zijn of wie wij zijn.*

'Waarom?' vraagt ze. 'Waarom hebben jullie dat besloten?'

'Wel, wat ik net zei. Tim zat in een andere klas en verder... We hoorden het op het moment dat we klaarstonden om te vertrekken en we hebben met elkaar besloten dat het niet nodig was om het eerder te vertellen. Uit een soort bescherming. De excursie moest doorgaan natuur-

lijk, we waren bang dat de excursie "verpest" zou worden. Maar toen ik net naar jou luisterde... voelde ik me
schuldig. Vooral Van Wijngaarden, Den Hartog en Van
Ommen wilden het zo. En... ik... ik zit nog niet zo lang
hier op school en dan leg je je gauw neer bij wat oudere
collega's zeggen... Tenminste, dat is wat ik heb gedaan...
en dat is geen goed excuus natuurlijk, ik verschuil me dan
achter anderen, maar...'

'De excursie zou verpest worden...' herhaalt Eline.

Kasper kijkt haar ongelukkig aan. 'Het spijt me. Ik werk-
te nog maar net als leraar en ik had het zo druk...' Hij
schudt zijn hoofd. 'Ook dat is geen excuus...'

Astrid, die bij hen is komen zitten nadat ze koffie voor
hen had gehaald, zegt tegen Eline: 'Je bent een dapper
meisje.'

Heeft Astrid met de suiker een lepel zelfvertrouwen door
de koffie geroerd? Eline weet dat ze kritiek heeft geuit op
volwassenen. Astrid en Kasper hebben naar haar geluisterd
en haar gelijk gegeven.

Als de koffie op is en Frank naar haar toe komt om te
zeggen dat zijn ouders weggaan, voelt ze zich sterker. Ze
staat op en neemt afscheid van Franks ouders. Met Frank,
Arjen, Roy en Marleen ruimt ze alles op.

'Laat mij de lichtjes maar uitblazen,' zegt ze.

# 22

Hoewel de weersverwachting anders was, is de lucht helderblauw als Eline haar fiets uit de schuur haalt. Haar rugzak stopt ze in de fietstas en ze zwaait naar haar vader en Marloes. Eerst rijdt ze langs Ilse, daarna fietsen ze samen naar Floris, waar Frank en Marleen ook zullen komen.

Bij Floris drinken ze koffie. Dan gaan ze op weg, hun verdiende dagje uit! Het is een cadeau van Franks ouders, omdat ze Frank het examen door geloodst hebben.

Gistermiddag was het laatste: aardrijkskunde. Ze zijn nu alle vijf vrij. Een spannende periode van wachten staat voor de deur, maar Eline weet zeker dat ze allemaal zullen slagen. Ook Frank, hoewel dat nog het spannendst is. Maar die knul heeft keihard gewerkt en zo slecht waren zijn cijfers voor het schoolexamen uiteindelijk niet. Hij heeft dus wel wat compensatie. Zelfs met een herexamen heeft hij nog een kans. En zijzelf, dat weet ze precies. Ze wil graag naar de havo als haar cijfers het toelaten, maar ze dacht wel dat dat zou lukken.

Maar eerst... met de bus naar het pretpark! Dat hebben ze wel verdiend.

'Mag Marleen ook mee?' vroeg Frank vorige week.

'Ik vind het best,' zeiden Ilse en zij. 'Het is een aardige meid.'

'Alleen passen we dan niet meer met zijn allen in een karretje van de achtbaan!' zei Floris.

Daarom gaan Frank en Marleen samen in een wagentje. Floris zit in het wagentje voor hen, met Eline en Ilse achter zich. Frank slaat zijn arm om Marleen heen en drukt nog snel een kus op haar lippen voordat ze gaan rijden. Langzaam hijst het treintje zich omhoog, om daarna met suizende vaart in de diepte te storten. De wind snijdt langs zijn gezicht en Frank houdt zich voor de zekerheid toch maar met twee handen vast. Marleen gilt en als ze weer langzaam omhoog kruipen, lacht ze naar hem. Die lach zet in zijn lijf een mini-achtbaan in beweging: op en neer, zodat hij er duizelig van wordt.

De achtbaan waar hij samen met Marleen in zit, maakt een onverwachte bocht naar rechts en ze worden tegen elkaar aan gedrukt. *Ik hoop dat de rit eindeloos duurt*, denkt Frank.

Hij heeft Marleen voor het eerst gezoend toen ze onverwacht tegenover elkaar stonden bij het warenhuis in de stad waar Frank na school een boodschap deed voor zijn moeder. Ze stonden dicht op elkaar in de rij voor de kassa en op een gegeven moment voelde Frank dat Marleen tegen hem aanleunde. Buiten, de plastic tasjes bungelend tussen hen in, gaf ze hem een lange tongzoen. De rest van de dag hoorde en zag hij alleen Marleens lippen, haar ogen, haar gefluisterde woorden.

'Ik ben hier ook een keer met Tim en pa en ma geweest,' zegt hij als ze weer – wat onvast – op de grond staan. Marleen slaat haar arm om zijn middel.

'Lachen was dat, Tim zat zo idioot te doen. Hij...'
Frank vertelt over Tim. Het is vreemd dat Marleen Tim
niet kent.

Ze zitten hoog in het reuzenrad. Ze kunnen ver kijken en
als het rad langzaam omlaag en weer omhoog draait, heeft
Eline het gevoel dat ze zweeft.
Ze zwaaien naar Floris, Frank en Marleen in het bakje
onder hen. Het is net of ze elkaar achternazitten, zonder
elkaar ooit in te halen.
'Hoe voel je je?' vraagt Ilse aan Eline.
'Blij dat het allemaal voorbij is.'
'Ja, heerlijk hè, geen examen meer, een superlange vakantie voor ons.'
'Ja, dat ook, maar ik bedoel ook... de winter en de afgelopen weken.' Ze spreidt haar armen, met de handpalmen naar boven. 'Opgelucht, hoe zeg ik dat, er is weer
lucht... en licht...'
'Dat kun je wel zeggen.' Ilse lacht. 'Zullen we dan maar
de rest van de dag in het reuzenrad blijven zitten?'

Later staan ze samen in de rij bij de wildwaterbaan.
'Het is grappig,' zegt Eline, 'als je al die mensen ziet die
zich in zo'n pretpark gedragen als grote kinderen.'
Waar ze staan, hebben ze uitzicht op de trampolines. Ze
kijkt er zwijgend naar.
'Weet je,' gaat ze dan verder, 'ik heb over mijn ouders
nagedacht. Ik heb altijd veel moeite met hun rommelige
manier van leven, dat weet je. Toch hebben ze me afgelopen jaar altijd gesteund en dat heb ik me niet zo gerea-

liseerd... Ik had iets tegen volwassenen, hoe moet ik het zeggen. Dat gevoel van wantrouwen was zo sterk dat ik het goeie van mijn eigen ouders niet eens zag...'

Ilse slaat haar arm om de schouders van Eline. 'Kijk!' wijst ze. 'We zijn bijna aan de beurt.'

De volgende dag fietst Eline met een schoenendoos in haar rugzak naar het huis van Frank. Alweer is het stralend mooi weer, zodat ze halverwege afstapt en haar jas uittrekt.

Ze zet haar fiets tegen een hek en klimt erop. Daar blijft ze zitten, terwijl ze uitkijkt over de weilanden, waar de lammetjes al bijna niet meer te onderscheiden zijn van hun moeders.

Dat deed ze vorig jaar ook wel, als ze op weg was naar Tim. Gewoon even zitten en genieten van het moment. Niets kun je vasthouden, maar je kunt wel heel dicht bij je gevoel leven, waardoor het moment intenser en de herinnering waardevoller wordt. Natuurlijk denkt ze nog aan Tim, maar ze kan hem nu loslaten en daarom heeft ze de doos niet meer nodig.

Als ze bij Frank is, geeft ze haar tas aan hem.

'Wat erin zit, is voor jou. Jij bent zijn broer. Ik heb hem geleend, jij moet hem bewaren.'

Nieuwsgierig maakt Frank de knoop los, waarmee de rugzak van Eline dichtgebonden is. Dan haalt hij de zwarte doos tevoorschijn.

Nu schrikt hij niet meer van de witte letters. Hij lacht en maakt de doos open. Bovenin ligt het boekje 'Herkennen' dat ze over Tim gemaakt hebben. Hij bladert even door de inhoud, die hij nu goed kent. Daarna zoent hij Eline op beide wangen.

'Ik ben hier heel blij mee. Dank je wel.'

Dan schuift hij de doos aan de kant.

'Het was leuk gisteren, hè?' vraagt hij.

'Ja,' zegt Eline enthousiast. 'Ik heb me rot gelachen om Floris. Ik vond de wildwaterbaan het leukst... En het reuzenrad, dat vond ik ook te gek. En jij?'

'De trampolines! En de achtbaan! En de cart-races! Alles eigenlijk wel.'

'Hoe gaat het nu met je, Frank?' vraagt Eline even later.

Frank denkt even na voor hij antwoord geeft. 'Goed, al mis ik Tim nog altijd. Maar dat zal wel blijven, denk ik.' *Dat hoort bij mijn leven.* 'En zoals gisteren... dan kan ik weer gewoon genieten zonder me schuldig te voelen!'

Daarna praten ze over het examen en over de vakantieweken die voor hen liggen.

'Ik hoop wel dat ik nog werk vind,' zegt Eline. 'Anders duurt de vakantie zo lang.'

'Ik heb net gehoord dat ik weer bij de zuivelfabriek kan werken!' zegt Frank blij.

Dan gaat Eline naar huis. Voor ze wegrijdt, zoent Frank haar nog een keer op beide wangen, terwijl hij zegt: 'Bedankt, Eline, voor alles!'

'Ik bel nog!' roept ze naar Frank die haar nakijkt als ze de straat uitfietst.


Terug op zijn kamer pakt hij de doos. Blaadje voor blaadje haalt hij eruit en hij legt ze naast zich op zijn bed. Nog steeds onderin zit de Harley-Davidson. Die moet op de plank boven zijn bed! Jammer alleen van die barst in het glas.

Hij loopt naar beneden, maar zijn moeder is er niet. Dan gaat hij naar de winkel en vraagt waar hij moet zoeken. Als hij geen lijst kan vinden die naar zijn zin is, stopt hij zijn portemonnee in zijn broekzak en gaat het dorp in. Met twee nieuwe fotolijsten komt hij thuis. Hij wil een foto inlijsten waar Tim en hij samen op staan en een nieuwe lijst om de Harley doen. Het valt nog niet mee de mooiste foto van hen samen uit te zoeken. Uiteindelijk is hij het met zichzelf eens en daarna haalt hij de foto van de Harley uit de oude lijst. Als Frank de kaart omdraait, ziet hij dat de achterkant beschreven is. Hij herkent het handschrift van Tim. 'Aan Frank Halbesma' staat er op de rechterhelft. Eronder zijn volledige adres, alsof Tim hem met de post wilde versturen. Hé, dat was hij waarschijnlijk ook van plan geweest: er zit een postzegel op!

Dan leest Frank wat op de linkerhelft geschreven staat: 'Frankie-boy, als we later groot zijn, kopen we een Harley en rijden we ver weg van pa en ma en iedereen.'

Het duurt even voordat tot Frank doordringt wat deze kaart betekent. Tim leed ook onder de houding van pa en ma!

Hij staart naar buiten. Als Tim deze kaart verstuurd had en hij had hem gekregen… hoe zou hij dan gereageerd hebben? Wat zou er dan anders zijn gelopen…? Waarom heeft Tim hem niet verstuurd? Staat er een datum boven? Ja: 2 april staat in de bovenhoek gekrabbeld.

Dat moet zijn geweest… Is deze kaart van vorig jaar?

Dan heeft Tim hem geschreven toen hij Eline net kende of vlak voordat hij haar leerde kennen. Of is de kaart ouder? Er staat geen jaartal boven. Hij zal het nooit weten. Maar hij weet nu dat Tim en hij dezelfde problemen hebben gehad. En hij wist het toen niet! Ze wisten het niet van elkaar! Ze hebben onbewust steun bij elkaar gezocht – en gevonden, want ze waren toch dikke maatjes – maar ze hebben niet voor elkaar onder willen doen.

Zijn oog valt op het boekje met de teksten van zijn broer. 'Her-kennen' staat er. Nog eens bladert hij in de teksten uit de doos.

Dan lijst hij de Harley opnieuw in. Samen met de foto van de twee kleine jongens.